Removendo máscaras

HERNANDES DIAS LOPES

Removendo máscaras

Viver na verdade é viver na luz, é viver sem máscaras

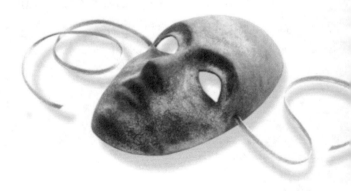

hagnos

© 2004 por Hernandes Dias Lopes

1ª edição: março de 2004
12ª reimpressão: fevereiro de 2025

Revisão: Ariadne Escobar
Diagramação: Aldair Dutra de Assis
Capa: Douglas Lucas
Editor: Aldo Menezes
Coordenador de produção: Mauro Terrengui
Impressão e acabamento: Imprensa da Fé

As opiniões, as interpretações e os conceitos desta obra são de responsabilidade de quem a escreveu e não refletem necessariamente o ponto de vista da Hagnos.

Todos os direitos desta edição reservados à
EDITORA HAGNOS LTDA.
Rua Geraldo Flausino Gomes, 42, conj. 41
CEP 04575-060 — São Paulo, SP
Tel.: (11) 5990-3308

E-mail: editorial@hagnos.com.br | Home page: www.hagnos.com.br
Editora associada à Associação Brasileira de Direitos Reprográficos (ABDR)

Dados Internacionais de Catalogação na Publicação (CIP)

Lopes, Hernandes Dias

Removendo máscaras: viver na verdade é viver na luz, é viver sem máscaras / Hernandes Dias Lopes. — São Paulo: Hagnos, 2004.

ISBN 978-89320-42-1
Bibliografia

1. Mascaramento (Psicologia) - Aspectos religiosos 2. Verdade (Teologia cristã) 3. Vida cristã I. Título

04-0267   CDD 248.4

Índices para catálogo sistemático:
1. Vida cristã 248.4

Angélica Ilacqua CRB-8/7057

Dedicatória

Dedico este livro ao Rev. João Campos Avillano, homem íntegro, servo fiel, meu tutor espiritual, conselheiro amigo, que investiu em minha vida, acreditou no meu ministério e me ensinou profundas lições na caminhada com Deus.

SUMÁRIO

Prefácio 9
Introdução 13

Capítulo 1
A máscara da piedade 17

Capítulo 2
A máscara do orgulho 25

Capítulo 3
A máscara da hipocrisia 35

Capítulo 4
A máscara da duplicidade 43

Capítulo 5
A máscara da falsa modéstia 49

Capítulo 6
A máscara da justiça própria 55

Capítulo 7
A máscara da frieza ou da falta de perdão 65

Capítulo 8
Como remover as máscaras 73

Prefácio

Hernandes é uma pessoa especial desde antes de seu nascimento. Durante a gravidez, o médico orientou os pais para que eles o abortassem: Mera questão de escolha, ou o bebê ou a mãe! A saúde da mãe estava profundamente abalada, e ninguém sabia ao certo se a criança viria a nascer, e se viesse a nascer, se sobreviveria. Por teimosia de sua mãe a instrução do médico não foi seguida.

Um ingrediente extremamente significativo haveria de ser adicionado a esta dramática experiência. Sua mãe era uma mulher piedosa, profundamente temente a Deus, daquelas que insistem em crer que Deus é realmente vivo e que ouve as orações. Naqueles dias ela orou com instância para que Deus salvasse seu filho, e o consagrou ao ministério da Palavra. Ambos sobreviveram, e sua mãe haveria de relatar-lhe este episódio, anos depois, para que a vocação do filho não fosse influenciada pela sua experiência, mas resultado de um chamado especial de Deus.

Advindo de uma família muito pobre, mesmo morando na zona rural, Hernandes amava as letras. Uma senhora que estava para se mudar para Vitória, insistiu em levar aquele garoto para que ele continuasse seus estudos. Hernandes, com a bênção do pai aceitou o desafio e partiu para a grande cidade, sendo ainda uma criança de doze anos. O caráter do Hernandes se firmou em meio a muitas dificuldades. Deus o confirma para o ministério e ele é enviado ao Seminário de Campinas, São Paulo, onde pela primeira vez o vi, como calouro recém-chegado para sua formação acadêmica e preparação para o ministério, em 1978.

De hábito simples, e com uma humildade impressionante, haveria de se destacar pela seriedade com que fazia todas as coisas e com a excelência com que se propunha a fazê-las. Destacava-se entre seus colegas pelo amor às letras, pela oratória veemente, e pelo compromisso com o Evangelho. Era ainda muito jovem, mas sabia muito bem porque estava ali naquela casa de profetas.

Durante estes 25 anos tenho acompanhado com grande entusiasmo o seu ministério. Deus o tem usado de forma sobrenatural. Sólido pastor tem exercido o ministério na Primeira Igreja Presbiteriana de Vitória por dezoito anos. Isto demonstra a sua estabilidade espiritual e emocional. Recebe em média mais de cinco convites semanalmente para pregar em igrejas e convenções de diferentes denominações no Brasil e no exterior. Seus livros têm alcançado marcas surpreendentes no cenário brasileiro. Mais de 200 mil livros de sua autoria já foram vendidos, alguns deles se tornaram *best-sellers*. Tudo isto demonstra o alcance de seu ministério.

Quando morava em Elizabeth, NJ, tive um vizinho bastante agradável, e um dia conversávamos sobre uma grande árvore que estava à frente de sua casa, porque ela era realmente assustadora em seu tamanho. No nosso diálogo, expressei minha preocupação com a possibilidade dela cair, e ele me disse: Isto aqui é carvalho, suas raízes penetram no chão de forma proporcional ao seu crescimento. Isto lhe dá firmeza e estabilidade. Pode ficar tranquilo. Conquanto Hernandes seja falível como ser humano, posso afirmar que estamos lendo um texto de um homem que é um verdadeiro carvalho. É uma árvore que aprofundou suas raízes. Uma das frases que tem acompanhado o meu ministério é aquela que diz: "a nós cumpre dar profundidade, a Deus cumpre dar largueza". O tamanho do seu ministério reflete a profundidade de seu caráter e a solidez de sua teologia.

Seu estilo é agradável, rebuscado, possui uma linguagem sofisticada, mas acessível, que traduz muito da sua experiência como pregador e conhecido orador. Recomendo este livro com todas as suas expressões. Certamente você será grandemente edificado pela sua leitura.

Que Deus o abençoe!
Samuel Vieira.

Introdução

O carnaval é a festa das máscaras, a idolatria do luxo e a apoteose do prazer carnal. Algumas pessoas escondem se atrás das máscaras, outras se revelam através delas. Muitas vivem enrustidas o ano todo e assumem a sua verdadeira identidade no carnaval. As máscaras escondem e oferecem um certo refúgio. Elas libertam da preocupação com a censura, dando-lhes uma falsa segurança. As máscaras escondem uns e revelam outros.

O carnaval é popular porque todos ficam à vontade e representam nas passarelas um papel que muitas vezes sentem se constrangidas de viver na vida real. Elas jogam para fora seus sentimentos ocultos e desejos camuflados. As máscaras, ao mesmo tempo em que servem de escudo para lhes proteger do juízo alheio, abrem-lhes os portões da aparente liberdade para viver o que de fato são.

As máscaras não são uma exclusividade do carnaval. Elas estão presentes em nossa indumentária cotidiana. Há de todos os tipos, formas e tamanhos. Existem aquelas com qualidade especial: transparência apenas de um lado — o mascarado pode ver a todos, mas estes não podem vê-lo. Há outras que oferecem ao usuário a aparência de quem viu o Senhor. Há máscaras de "fim de série de conferências", com um toque de aparência de "monte", que parece nunca falhar. Na verdade, todos nós usamos máscaras. Elas fazem parte da nossa roupagem. Quem diz que nunca as usou, está acabando de afivelar uma no seu rosto: a máscara da mentira. Por que usamos máscaras? Porque nós temos medo de que nos identifiquem. Se pensarmos que nunca usamos máscaras ou não as temos em nosso armário, acabamos de colocar uma pesada máscara de mentira em nosso rosto.

> Quem diz que nunca as usou, está acabando de afivelar uma no seu rosto: a máscara da mentira.

Muitas vezes, nos amam unicamente pelo que aparentamos. Amam nossa máscara, não nossa personalidade. Mui frequentemente colocamos uma máscara que é uma fachada de amabilidade e então, somos amados pelo que projetamos. Mas lá dentro, atrás da máscara, reside nosso verdadeiro "eu". Fazemos da vida um teatro e, no palco dos relacionamentos, colocamos nossas máscaras preferidas para representar o papel que mais agradem. Na verdade, nós mesmos chegamos a admirar a beleza de algumas máscaras que usamos.

Quando o profeta Samuel foi à casa de Jessé para ungir um rei sobre Israel, logo ele viu Eliabe, o filho primogênito, e ficou impressionado pelo seu porte, altura, beleza e boa aparência. Samuel disse consigo: "certamente está perante o Senhor o seu ungido" (1Samuel 16:6). Mas, Deus lhe repreendeu, dizendo: "Não atentes para a sua aparência, nem para a sua altura, porque o rejeitei, porque o Senhor não vê como vê o homem. O homem vê o exterior, porém, o Senhor, o coração" (1Samuel 16:7). A máscara que Eliabe usava era muito bonita, dava-lhe uma boa aparência, mas por dentro ele era um fracasso. Era um homem covarde, mesquinho e medroso. Mais tarde, quando os exércitos de Israel estavam enfrentando o exército filisteu, Eliabe fazia coro com os medrosos soldados de Israel, fugindo das ameaças do gigante Golias. Se isso não bastasse, Eliabe revela sua inveja de Davi, tecendo-lhe duras críticas quando este se dispôs a lutar contra o gigante insolente (1Samuel 17:28-30).

Usar máscaras pode nos livrar de censuras, mas não é uma atitude segura. Não podemos afivelar com segurança as máscaras o tempo todo. Nem sempre elas ficam bem ajustadas: podem cair e cair nas horas mais impróprias. Quando a máscara de Eliabe caiu, todos conheceram que ele era mesquinho, invejoso e covarde.

Um advogado acabara de concluir o seu curso de direito. Recém-formado, com muitos sonhos e planos, queria logo construir um futuro glorioso. Abriu o seu escritório. Equipou-o com rico e moderno mobiliário. Trajava-se impecavelmente com ternos bem cortados e elegantes. Os sapatos, de cromo alemão, estavam sempre rigorosamente engraxados. Suas gravatas eram todas de seda, combinando com a tonalidade do terno. A cada manhã, fazia seu percurso até o escritório, carregando uma bela e requintada pasta cheia de papéis. Aquele advogado tinha uma aparência irretocável. Seu escritório era moderno e bem decorado. Sua apresentação pessoal, no conjunto, elogiável. Ele só tinha um problema: nenhum cliente. Cerco dia, a campainha do escritório tocou e entrou um cidadão. O advogado pensou: está aqui o meu primeiro cliente. Para impressioná-lo, foi logo pegando o telefone e entabulando uma animada conversa, dando a impressão de que estava fechando um grande negócio com um famoso cliente, envolvendo muito dinheiro. Após a longa conversação o advogado colocou o telefone no gancho e voltou-se para o cidadão que estava postado à sua frente, dizendo-lhe: "desculpe-me a demora, estava tratando de um importante negocio, estou à sua disposição". O homem, olhando-o espantado, disse-lhe: "sou funcionário da companhia telefônica e estou aqui para ligar o seu telefone, porque ele ainda está desligado". *As* máscaras podem, mesmo, cair nas horas mais inoportunas e inconvenientes.

A Bíblia diz: "O teu pecado o achará", e ainda: "Louco é aquele que zomba do pecado". E mais: "O homem será apanhado pelas próprias cordas do seu pecado". Em outros termos: as máscaras cairão.

Capítulo 1

A Máscara da Piedade

Máscara é tudo aquilo que esconde a verdadeira identidade. Tentamos vender uma imagem positiva. Fazemos propaganda enganosa. Burlamos o princípio da integridade. Sacrificamos a verdade e alçamos a voz para gritar e proclamar não o que somos, mas o que aparentamos ser. Vestimo-nos com peles de ovelha, enquanto bate em nosso peito um coração de lobo. A máscara da piedade é um embuste, uma farsa, um engodo, uma trombeta com sonido incerto, com mensagem falsa, emitida por falso arauto.

A máscara da piedade conspira contra o caráter santo de Deus. O falso piedoso mente para Deus, para si e para os outros. Tenta enganar e impressionar com uma espiritualidade que não tem. Vende um produto que não possui. Sua aparência é de anjo, mas seu coração é de demônio. Sua cara é de santo, mas sua vida é de um ímpio. William Gurnall disse que a piedade é filha da verdade e precisa ser alimentada com o leite de sua mãe e nenhum outro. Por isso, a prática da piedade é a própria vida.

A máscara da piedade atenta contra a santidade de Deus. Quem a usa pensa que pode enganar a Deus. Quem a coloca no rosto, tenta mentir para o próprio Deus e impressioná-lo com virtudes que não possui. O apóstolo João afirma que aquele que disser que não tem pecado não apenas mente para Deus, mas faz de Deus mentiroso (1João 1:10).

A máscara da piedade atenta contra a verdade de Deus. Falar uma coisa e viver outra é a mais consumada hipocrisia. Isso é mentira em grau superlativo. Viver uma mentira em nome da verdade é uma blasfêmia; é conspirar contra a Palavra de Deus que é luz. A mentira e a farsa são filhas das trevas. A luz da falsa piedade é uma luz falsa, uma ilusão de ótica, um engano consumado.

A máscara da piedade atenta contra o próximo. Traímos o próximo quando apontamos um caminho pelo qual não andamos. Falseamos a verdade ao proclamarmos uma mensagem que nós mesmos não abraçamos. Ferimos o próximo quando condenamos nos outros um pecado que nós mesmos cometemos. Somos desonestos quando projetamos nos outros nossos erros. Tornamo-nos falsos quando condenamos nos outros o que nós mesmos fazemos. Os falsos piedosos são os mestres do pecado. Seus pecados são mais hipócritas e mais pérfidos. Mais hipócritas porque pecam contra um maior conhecimento, e mais pérfidos porque praticam em segredo aquilo que condenam em público. Eles engajam-se contra o pecado em público e o praticam às escondidas. E ficam escandalizados quando a máscara cai. Jesus disse que seria melhor amarrar uma pedra no pescoço e afogar-se no mar do que ser pedra de tropeço para alguém (Mateus 18:6). O escândalo é uma pedra de tropeço. Quando a máscara cai, muita gente fica decepcionada, perplexa e ferida. Outros se escandalizam e retrocedem no caminho, cheios de dúvidas e mágoas.

A máscara da piedade atenta contra o caráter cristão. Como uma pessoa pode promover o testemunho cristão vivendo uma mentira? Como pode inspirar a devoção com um engano? Encorajar alguém a andar com Deus e viver em santidade, vivendo na impiedade? O falso piedoso esconde o seu orgulho e a sua soberba atrás de grossas máscaras. Sente necessidade compulsiva de ser reconhecido, elogiado e aceito. Depende de elogios e não tolera críticas. Precisa estar sempre no centro do palco, sob as luzes multicores dos holofotes. Busca mais a aprovação dos homens do que o agrado de Deus. Está mais preocupado com a propaganda falsa da sua imagem do que com a glória de Deus. A máscara da piedade é fogo estranho diante de Deus. É atraente, mas falso. Tem cor, mas não tem calor. Tem aparência, mas não realidade.

> O falso piedoso esconde o seu orgulho e a sua soberba atrás de grossas máscaras.

A máscara da piedade atenta contra o seu usuário. Usar essa máscara é mentir para si mesmo. Autoengano é desenvolver uma esquizofrenia espiritual. Enfiar na mente a ideia de ser outra pessoa. É golpear de morte a integridade pessoal. É convencer-se de que agrada a Deus vivendo no pecado. Pensar que está vivendo na luz, quando está imerso nas mais densas trevas. Achar que está andando no caminho estreito, que leva ao céu, enquanto segue pelas largas veredas que desembocam no inferno.

A máscara da piedade pode ser vista numa grande personagem da Bíblia: Moisés. Houve um momento em sua vida que ele a usou. Moisés era um homem ousado. Enfrentou com uma vara o homem mais poderoso do mundo: o rei do Egito. Moisés foi criado no palácio do Faraó. Foi educado como príncipe. Era um homem de cultura invulgar e de personalidade prismática. Mas quis libertar seu povo do cativeiro usando violência. Quis fazer a coisa certa da forma errada. A valentia foi substituída pelo medo e ele fugiu para o deserto. Durante quarenta anos viveu nas montanhas do Sinai, cuidando de ovelhas. Saiu do palácio para o deserto. Deixou os tapetes aveludados dos palácios para pisar nas pedras e areias escaldantes das montanhas escarpadas do Sinai. Trocou a erudição das ciências do Egito pelas agruras do campo, enfrentando o calor sufocante do dia e o frio gélido das noites no deserto. Deixou as glórias do Egito para abraçar o anonimato da vida pastoril. Desistiu dos sonhos de ser o libertador do seu povo para ser pastor de ovelhas.

Embora Moisés tivesse desistido de seus sonhos, Deus não havia desistido de Moisés. O deserto não era a estrada da fuga, mas um campo de treinamento. Moisés passara quarenta anos nas universidades do Egito aprendendo a ser alguém. Tornou se um homem culto, poderoso em palavras e versado em todas as ciências egípcias. Passara outros quarenta anos no deserto aprendendo a ser ninguém. Os livros foram substituídos pelo cajado. As carruagens pelo bordão de pastor. As glórias do palácio pelas ovelhas. Os monumentos do Egito pelas montanhas alcantiladas do Sinai.

> Embora Moisés tivesse desistido de seus sonhos, Deus não havia desistido de Moisés. O deserto não era a estrada da fuga, mas um campo de treinamento.

Nesse tempo, Deus estava em silêncio, mas não inativo. Moisés tinha se esquecido dos gemidos do povo, mas Deus estava atento ao clamor dos aflitos. Moisés tinha virado a página do seu passado e desistido de ver o povo liberto, mas Deus mantinha o seu olhar tanto em Moisés quanto na aflição do seu povo. Finalmente, Deus chama a Moisés no Sinai e o conclama para ser o libertador do seu povo. Fala-lhe milagrosamente na Sarça Ardente. Revela lhe seu poder e sua glória. Moisés tenta fugir da tarefa. Dá várias desculpas. Mas o chamado de Deus é irresistível e a vocação de Deus irrevogável. Nesse período de quarenta anos da vida, Moisés aprendeu que Deus é todo-poderoso. Moisés voltou ao Egito em nome do Deus vivo. Enfrentou com desassombro o maior monarca do mundo. Desafiou as divindades do Egito e tirou de lá o povo de Deus. Enfrentou a hostilidade do Faraó. Triunfou com uma vara na mão sobre a maior superpotência do mundo de sua época. Ele venceu com galhardia os exércitos enfurecidos do Faraó e viu seus carros e cavaleiros afogando-se no mar. Moisés viu o mar transformar se em estrada para o seu povo e em cemitério para os seus inimigos. Presenciou fontes amargas transformarem-se em água doce; enxergou água brotando da rocha e o maná caindo do céu. Tornou-se um líder forte. Ele conduziu o povo pelo causticante deserto com firmeza e grande poder.

Mas, houve um momento em que Moisés não foi ousado. Ele temeu. E quando ele temeu? Foi quando desceu do Sinai. Passou quarenta dias diante do Senhor no cume do monte. Deus se revelou a ele. O monte tremeu pela manifestação da glória de Deus. Ele recebeu das mãos do Senhor as tábuas da lei com os dez mandamentos. Foi um tempo glorioso na vida de Moisés. Ninguém antes dele vira coisas tão estupendas. Quando desceu do monte o seu rosto estava brilhando. O fulgor da glória de Deus resplandecia em sua face. A "shekiná" de Deus estava estampada em sua face. Ninguém podia olhar para ele por causa do intenso brilho da sua face. Então, Moisés colocou um véu sobre o rosto para que as pessoas pudessem se aproximar dele sem terem seus olhos toldados pela glória. Havia um fulgor divino resplandecendo em sua face. Contudo, com o tempo, o brilho do rosto de Moisés foi desvanecendo e acabando. Mas Moisés não tirou o véu. Ele não queria que as pessoas soubessem que a manifestação da glória tinha sido transitória e que o seu rosto não brilhava mais. Moisés temeu que percebessem ter-se apagado o brilho da sua face e continuou com o véu quando não mais precisava dele. O apóstolo Paulo disse, que nesse momento, Moisés não foi ousado (2Coríntios 3:12-13).

Muitas vezes, também, queremos dar a impressão de que somos espirituais, piedosos, cheios do Espírito e passamos uma imagem falsa de nós mesmos. Igualmente colocamos um véu sobre a face para que pensem que o nosso rosto está brilhando, quando na verdade, a glória nunca se manifestou em nós. Queremos impressionar as pessoas. Queremos que os outros pensem que a shekiná de Deus está sobre nós, e usamos a máscara da piedade. Há quem cuide mais da aparência externa do que da sua imagem interna. Estão mais preocupados com a opinião dos homens do que com a aprovação de Deus, estão mais interessados em performance do que na sinceridade de coração. Buscam os aplausos dos homens e esquecem a glória de Deus. Os fariseus eram assim: bonitos por fora e feios por dentro. Eram como sepulcros caiados, limpos e ornamentados por fora, mas cheios de podridão no seu interior. Os fariseus eram ortodoxos na doutrina, mas hereges na conduta. Falavam uma coisa e viviam outra. Ensinavam uma coisa e praticavam outra. Havia um abismo entre o que professavam e o que praticavam.

Para esconder a verdadeira identidade, usavam a máscara da piedade.

Hofni e Fineias eram filhos de Eli. Eles eram sacerdotes, mas não levavam Deus a sério. Eram "filhos de Belial", adúlteros e zombavam da lei de Deus. Desonravam a Deus, pecavam contra o povo: não podiam ser corrigidos. Mas achavam que podiam executar a obra de Deus mesmo estando suas vidas contaminadas pelo pecado. Achavam que ganhariam as guerras do Senhor apenas carregando a Arca da Aliança, símbolo da presença de Deus entre o povo. Ao usarem um símbolo sagrado, sem possuírem vida santa, vestiram a máscara da piedade. Travaram uma guerra contra os filisteus e a consequência foi que nessa peleja a arca foi roubada, eles foram mortos, trinta mil homens caíram, o sacerdote Eli teve o pescoço quebrado. A glória do Senhor nunca esteve com eles.

Muitas pessoas aparentam ser o que não são. Tentam substituir a essência pela forma. À semelhança do seu irmão Abel, Caim também trouxe uma oferta ao Senhor. Externamente ele também era um adorador. Mas Deus não aceitou a sua oferta porque rejeitou a sua vida (Gênesis 4:4-5). Antes de receber a nossa adoração, Deus precisa aceitar a nossa vida. O profeta Malaquias denuncia os sacerdotes que não davam honra ao nome de Deus e inutilmente estavam acendendo o fogo no altar (Malaquias 1:10). Podemos ter um belo desempenho diante dos homens e sermos totalmente reprováveis aos olhos de Deus. Podemos, equivocadamente, convencer a nós mesmos de que estamos tendo uma vida de vitória, quando na verdade somos a própria imagem do fracasso. A igreja de Laodiceia tinha um alto conceito de si mesma. Ela se achava uma igreja rica, abastada e que não precisava de coisa alguma. Mas Jesus a considerou pobre, cega e nua (Apocalipse 3:17). Podemos estar enganados até mesmo com respeito à nossa salvação. Jesus alerta sobre esse perigo em Mateus 7:21-23. Muitas pessoas pensam que sua ortodoxia e obras extraordinárias são a base da sua salvação, mas o exame de Jesus é mais profundo e diagnostica a prática da iniquidade associada às coisas santas. Existem aqueles que pensam ser melhores do que os outros. O fariseu deu graças por não ser como os demais homens e muito menos como o miserável publicano que humildemente rogava clemência a Deus. Contudo, a despeito de sua vanglória, ele foi rejeitado e o homem a quem desprezava foi justificado (Lucas 18:9-14).Vemos muita

> Antes de receber a nossa adoração, Deus precisa aceitar a nossa vida.

gente trajando a máscara da piedade. Exibem um discurso espiritual, mas uma vida medonha. São investigadores da vida alheia, que apontam para o cisco do olho dos outros sem enxergar a trave que está nos próprios olhos (Mateus 7:3). São pessoas intolerantes com os demais, mas relaxadas consigo mesmas. Apontam sem caridade os pecados dos outros, e fazem vista grossa aos seus pecados. São rigorosas no combate ao pecado em público, mas amantes e praticantes dele em segredo. São hipócritas que se escondem detrás das grossas máscaras da piedade.

> São hipócritas que se escondem detrás das grossas máscaras da piedade.

Capítulo 2

A Máscara do Orgulho

A máscara do orgulho tem vários formatos e adequações. Ela é bem elástica e cabe em diferentes rostos. O homem normalmente tem um apetite exageradamente grande de ser reconhecido e aplaudido. Ele sempre gostou de estar no centro do palco. A vaidade tem sido a sua marca registrada. O orgulhoso é aquele que quer destacar-se sobre os demais, quer ser mais importante do que é, chamando a atenção para a própria imagem. Mas, um espelho nunca desperta a atenção a não ser que nele haja manchas.

O orgulhoso é aquele que toca trombetas para proclamar suas próprias virtudes e realizações. Tem necessidade compulsiva de estar em evidência. Ele não tolera viver fora do palco. O orgulhoso é aquele que quer ser quem não é. Lúcifer não se contentou em ser criatura de Deus, ainda que fosse a mais formosa. Quis ser igual a Deus (Isaías 14:13-14; Ezequiel 28:12-15). O orgulhoso nunca está contente com a sua condição. Ele sempre aspira algo maior. O orgulho é a própria imagem do diabo. Agostinho de Hipona disse que foi o orgulho que transformou anjos em demônios; e é a humildade que faz com que homens sejam como anjos. Thomas Adams corretamente disse que o orgulho lançou o orgulhoso Nabucodonosor para fora da sociedade dos homens; o orgulhoso Saul para fora do seu reino; o orgulhoso Adão para fora do paraíso; o orgulhoso Hamã para fora da corte e o orgulhoso Lúcifer para fora do céu.

A serpente colocou no coração de Eva a semente da insatisfação (Gênesis 3:1-6). A insatisfação é filha do orgulho. Eva estava num jardim engrinaldado de flores policromáticas, cercada de paisagens de beleza arrebatadora. Ela era amada pelo marido e tinha comunhão com Deus. Vivia num paraíso. Tudo era sublime e belo ao seu redor. Suas regalias eram infinitamente maiores que suas restrições. Era livre e feliz, mas o diabo colocou a insatisfação no seu coração, dizendo-lhe que ela podia ser igual a Deus (Gênesis 3:5). O diabo abriu um buraco no seu coração e ela sentiu-se a mais infeliz e ultrajada das criaturas no paraíso. Agora, ela quer ser mais do que uma criatura, quer ser igual ao criador. O orgulho, no sentido religioso é a atitude de autonomia e de independência de Deus. Todo orgulho é idolatria, é adoração de si mesmo.

O orgulho é o prelúdio do fracasso. A soberba precede a ruína. Deus resiste ao soberbo. Eva caiu e levou o seu marido também à queda. Seus olhos foram abertos não para ver o seu triunfo, mas o seu fracasso. Em vez de se tornarem iguais a Deus, tornaram-se pecadores, culpados e perdidos. O diabo mentiu para eles. Ambos não apenas tropeçaram por causa do orgulho, mas levaram a humanidade a cair. Somos seres caídos. O orgulho percorre nossas veias. Ele está em nossa medula, se aloja em nosso coração e sobe à nossa cabeça. O orgulho sempre nos espreita. Somos sempre tentados a dar guarida a esse precursor da ruína.

> O orgulho é o prelúdio do fracasso. A soberba precede a ruína.

Tão perverso e danoso como o orgulho declarado é o orgulho velado, escondido atrás da máscara da autoconfiança. Quando Moisés desceu do Sinai, com as tábuas da lei de Deus, o povo estava em flagrante rebeldia contra Deus, dançando, bebendo e prostituindo-se diante de um bezerro de ouro. Mas quando a lei foi dada, o povo disse a Moisés: tudo que o Senhor falou, nós faremos. Eles foram altivos, soberbos e arrogantes. Eles estavam se olhando no espelho e dizendo: somos um povo maravilhoso. Somos bons. Somos fortes. Temos capacidade e poder para viver de acordo com a lei. Estavam confiando em si mesmos. Estavam querendo agradar a Deus na força da carne. Por isso, fracassaram. Eles quebraram toda a lei de Deus. Constituíam uma nação rebelde. Murmuraram contra Deus, entregaram-se à prostituição e se dobraram diante dos deuses estranhos. Insensatos, desafiaram a Deus, provocando-o à ira. No coração eles voltaram ao Egito e se transformaram numa geração ingrata e rebelde. Perambularam no deserto e morreram no deserto porque em vez de se humilharem sob a poderosa mão de Deus, entregaram-se à vaidade, ao orgulho e à soberba. Confiavam em si mesmos e não em Deus. Queriam guardar a lei escorados unicamente no bordão da autoconfiança.

> Achamos que podemos viver vitoriosamente firmados em nosso conhecimento. Às vezes não verbalizamos isso, mas demonstramos com a nossa conduta.

Não somos diferentes dos israelitas que pereceram no deserto. O coração que bate em nosso peito tem as mesmas tendências. Somos tão orgulhosos quanto eles. Julgamo-nos superespirituais. Achamos que podemos viver vitoriosamente firmados em nosso conhecimento. Às vezes não verbalizamos isso, mas demonstramos com a nossa conduta. Não oramos, não lemos a Bíblia, não vivemos aos pés do Senhor. Achamos que dependemos mais dos nossos recursos do que dos recursos de Deus. Dependemos mais dos nossos métodos do que do poder de Deus. Quando deixamos de orar, estamos dizendo: eu não preciso de Deus. Eu tenho poder para viver vitoriosamente. É comum darmos desculpas para não frequentarmos as reuniões de oração: não temos tempo, somos ocupados demais. O verdadeiro problema não é falta de tempo, mas de prioridade.

> O verdadeiro problema não é falta de tempo, mas de prioridade. Temos tempo para tudo que priorizamos.

Temos tempo para tudo que priorizamos. Deixamos de orar porque não temos fome de Deus e porque Deus não é nossa prioridade. Deixamos de orar porque pensamos que a nossa suficiência vem de nós mesmos e não de Deus. Em 1997, em visita à Coreia do Sul, conversei com um pastor presbiteriano cuja igreja já ultrapassava a fronteira dos dezoito mil membros, perguntei a ele sobre sua vida de oração. Depois de ouvir o seu relato, interpelei: "Vocês levantam-se de madrugada para orar porque isso é um hábito dos orientais?". Ele olhou dentro dos meus olhos e me disse: "não, no mundo inteiro as pessoas levantam-se de madrugada para ganhar dinheiro. Nós levantamos de madrugada para orar porque Deus é prioridade em nossa vida'.

Pedro foi apóstolo de Jesus. Sua vida pode ser dividida em dois capítulos. A primeira parte foi marcada pela máscara do orgulho. Ele confiava em si mesmo para agradar a Deus. A segunda parte foi quando tirou a máscara e passou a depender de Deus. Pedro era um homem extrovertido, impulsivo que falava antes de pensar. Ele sempre estava em evidência. Estava sempre buscando se destacar dentre os demais.

Pedro era um homem contraditório. Ao mesmo tempo em que fazia ousadas declarações de fé, negava a sua fé. Exaltava a Jesus, mas tentava desviá-lo do caminho da obediência ao Pai. Pedro era símbolo do homem com seus altos e baixos. Tinha arroubos de intensa coragem e quedas de vergonhosa covardia. Era o tipo de homem que vivia permanentemente intensas emoções. Ele sempre falava, mesmo quando não sabia o que falar. Foi ele quem disse, depois da pesca milagrosa, para Jesus: Senhor, afasta-te de mim, porque sou um pecador (Lucas 5:8). Doutra feita, quando as multidões se afastavam de Jesus, ele disse: "Senhor para quem iremos nós, só tu tens palavras de vida eterna' (João 6:68). Foi ele quem disse que Jesus é o Cristo, o Filho do Deus vivo; mas também foi ele mesmo quem repreendeu a Jesus e tentou desviá-lo da cruz. Foi Pedro que falou sem saber o que estava dizendo no cume do monte da transfiguração.

Houve um momento na vida de Pedro que a máscara do orgulho foi arrancada por Jesus. O Filho de Deus já havia entrado em Jerusalém. O clima estava tenso. Havia uma conspiração para matar Jesus nos bastidores do mais alto escalão do sacerdócio judaico. Judas Iscariotes já estava mancomunado com esse esquema perverso para prender e matar Jesus. O Senhor já havia alertado para o fato de que naquela semana, ele seria entregue nas mãos dos pecadores. Também já havia avisado seus discípulos que ao ser preso, eles iriam se escandalizar e fugir (Mateus 26:31-32). Existia uma nostalgia e uma profunda apreensão no ar. Os discípulos andavam aturdidos e perplexos com o futuro sombrio que se aproximava. No meio daquele silêncio gelado, Pedro, sem refletir, ergue sua voz, em seu excesso de zelo e tenta ser melhor do que os seus condiscípulos: "Ainda que venhas a ser um tropeço para todos, nunca o serás para mim" (Mateus 26:33). O evangelista Marcos registra assim: ''Ainda que todos se escandalizem, eu jamais!" (Marcos 14:29). O evangelista Lucas descreve a autoconfiança de Pedro: "Senhor, estou pronto a ir contigo, tanto para a prisão, como para a morte" (Lucas 22:33). O evangelista João ainda acrescenta a aparente bravura de Pedro, quando afirmou: "Senhor, por que não posso seguir-te agora? Por ti darei a própria vida" (João 13:37). Nesse momento, Pedro afivelou em seu rosto uma pesada máscara de orgulho. Ele estava dizendo para Jesus que os demais discípulos não tinham a mesma têmpera que ele. Sugestionava que ele era mais corajoso e valente que os demais. Estava tocando trombetas, proclamando suas próprias virtudes, ao mesmo tempo em que lançava dúvidas sobre a fidelidade dos colegas.

Jesus imediatamente arranca a máscara de orgulho de Pedro, mostrando que ele não era um super-herói. Não lhe faltava sinceridade, mas poder. Estava confiando na sua coragem e não em Jesus. Nesse momento, Pedro deixou vazar a sua autoconfiança. Ele achou que era forte o suficiente para o auto-sacrifício e o martírio. Mas, a nossa força não está em nós. Somos fracos. Somos barro. Somos pó. Ninguém pode manter se de pé, escorado no bordão da autoconfiança. Não podemos servir a Deus nem enfrentar os desafios e perigos, achando que somos fortes. O apóstolo entendeu esse fato e disse: "... porque, quando sou fraco, então, é que sou forte" (2Coríntios 12:10). O orgulho espiritual é uma vaidade inconsequente. O orgulho nos leva a crer que somos mais fortes do que na verdade somos. O orgulho é uma coisa que vaza por cima. Ele nos põe num pedestal alto demais e depois tira a escada.

> Mas, a nossa força não está em nós. Somos fracos. Somos barro. Somos pó. Ninguém pode manter se de pé, escorado no bordão da autoconfiança.

Pedro dá mais um passo na direção do seu orgulho, ao considerar-se melhor do que os companheiros. Pedro não apenas se considera grande, mas se julga maior. Agora ele se mede e vê que tem uma estatura espiritual maior do que os seus companheiros. Pedro bate palmas para si mesmo e sugere: Jesus eu não acredito na fidelidade incondicional dos teus discípulos. Eu creio que eles não são tão valentes e fortes como eu. Eles podem até fracassar. Eles podem se escandalizar e fugir, mas eu, jamais! Jesus conte comigo para o que der e vier. Nunca vou falhar, jamais vou te decepcionar. Se existe um homem de verdade que está pronto a ser preso e até a morrer por ti, esse homem sou eu. Jesus arranca novamente a máscara de Pedro ao dizer-lhe que ele não era melhor que os demais, ao contrário, era um homem fraco na peneira do diabo, que em poucas horas quebraria vergonhosamente seus juramentos e cobrir-se ia de lágrimas e opróbrio. A Bíblia nos proíbe o elogio de nós mesmos. O apóstolo Paulo exortou sobre o perigo de pensar de si mesmo além do que convém (Romanos 12:3). Pedro fracassou porque massageou o seu ego, tocou trombetas para anunciar suas próprias virtudes, julgou-se mais forte do que na verdade era e mais fiel do que os seus companheiros.

Pedro ainda expõe sua carnalidade ao dormir no meio de intensa balbúrdia. Em vez de orar e vigiar com Jesus no Getsêmani, ele entregou-se ao sono. Pedro dorme no meio da batalha mais decisiva da história. O sono o venceu. O sono foi mais forte do que a fome de Deus. Quem confia em si mesmo e está satisfeito consigo mesmo, não tem discernimento espiritual nem consegue orar. É mais fácil pronunciar palavras de bravura e fidelidade do que dobrar os joelhos e orar. Indivíduos há, que conseguem passar horas ao redor de uma mesa discutindo, mas não conseguem ficar meia hora de joelhos orando.

Pedro dormiu, enquanto Jesus suava sangue. *As* promessas da fidelidade de Pedro a Jesus evaporaram-se nas brumas daquela noite fatídica. Seus audaciosos gestos de amor e fidelidade não passavam de bravatas vazias.

Pedro não apenas dorme na hora errada, mas também acorda com a atitude errada. Ele transpira sua falta de entendimento, quando saca da espada e corta a orelha do soldado romano. Pedro empunhava a espada porque não dobrava os joelhos. Era valente com os homens, porque não sabia o que era permanecer com Deus em oração. Seu orgulho tem agora o formato de valentia. Quem não ora quer resolver os problemas no poder da espada. Quem não vê a vida pela ótica de Deus, fere as pessoas em nome de Deus. Enquanto Pedro usa a espada para cortar a orelha de Malco, Jesus usa o seu poder para salvar a vida de Malco. Enquanto Pedro usa as mãos para ferir, Jesus usa as mãos para curar. Enquanto Pedro está com o coração cheio de ódio, Jesus está com o coração cheio de amor. Enquanto Pedro quer a morte, Jesus trabalha pela restauração da vida.

Pedro evidencia o fracasso do seu orgulho ao seguir de longe a Jesus. A valentia de Pedro tinha limites. Seu amor por Jesus era ainda muito tímido. Na bonança é fácil ser fiel. É fácil ser valente em tempo de paz e andar com Deus em tempos de segurança. É fácil crer em Deus em tempos de fartura e milagre. No momento em que Jesus foi preso, Pedro deixa vazar sua pusilanimidade e começa a seguir Jesus à distância. Ele tem medo de identificar-se

> Quem não vê a vida pela ótica de Deus, fere as pessoas em nome de Deus.

com Cristo. Ele quer ser discípulo sem correr os riscos do discipulado. Ele quer o bônus, mas não o ônus de ser discípulo. Ele quer seguir a Jesus sem riscos pessoais. O medo tomou o lugar da coragem. O amor-próprio tomou o lugar do amor por Jesus. Ele está pronto a seguir a Jesus, mas não de perto. Ele tem agora as suas próprias regras. O orgulho lhe deu uma rasteira. Seu orgulho não o promoveu, mas o derrubou. Pedro, o homem de linha de frente, está agora no final da fila, escondido atrás da máscara de sua consumada covardia. Seguir a Jesus de longe é o grande perigo. É o caminho inevitável da queda, o portal do fracasso. Pedro exaltou-se e agora está sendo humilhado. De apóstolo a fugitivo. De homem de vanguarda a trânsfuga.

O orgulho de Pedro o levou ainda a se misturar com os inimigos de Jesus. Agora ele não declara guerra ao mundo, mas associa-se a ele. Não ergue mais a espada, como herói, mas infiltra-se e imiscui-se como um covarde. A Jesus ele seguia à distância mas agora busca a companhia dos escarnecedores. Enquanto entope seus ouvidos de palavras blasfemas, deixa seu coração se conformar com o mundo. Pedro mistura-se. Ele e o mundo tornam-se a mesma coisa. Sentia-se desconfortável perto de Jesus, agora busca a intimidade do mundo. Também esse é o retrato da igreja hoje. A procuramos e a encontramos no mundo. Procuramos o mundo e o vemos na igreja. A igreja está deixando de ser amiga de Deus para ser amiga do mundo.

Finalmente, Pedro intoxicado pelo seu orgulho, nega a Jesus. A queda possui estágios. Há sinais de alerta pelo caminho. Há luzes vermelhas avisando os perigos da jornada. Existem alarmes de advertência por todos os lados. Mas Pedro fechou os olhos e tapou os ouvidos a esses sinais. Não tardou para que o corajoso e intrépido apóstolo descesse ao último degrau da sua queda, negando a Jesus três vezes, com juramentos e impropérios. Pedro negou tudo: seu nome, sua fé, suas convicções, seu apostolado, seu Senhor. Pedro viu a sua máscara de orgulho ser vazada pelo olhar terno e penetrante de Jesus. Sua consciência foi tocada e lágrimas arrebentaram em seus olhos. Pedro deixou de ser uma pedra para ser pó. Ele foi quebrado e moído. Sua vida vira de cabeça para baixo. Ele é um homem em crise. Naquela fatídica noite, Pedro mergulhou sua alma nas águas profundas do desespero. Ele estava reduzido ao fracasso. Saiu da casa do sumo sacerdote com o rosto encharcado de lágrimas, com os olhos inchados de tanto chorar, vagueando pelo caminho, serpenteando-se entre os olivais. O resto daquela noite não levou Pedro ao sono; perambulou enquanto vertia abundantes e densas lágrimas. E um choro convulsivo irrompeu ao ouvir o canto do galo. Antes de julgarmos Pedro, precisamos examinar melhor a nossa própria vida. Não agimos melhor do que ele. Temos usado também a máscara do orgulho. Temos tocado trombetas, proclamando as nossas próprias virtudes e feitos. Somos amantes dos aplausos. Gostamos dos holofotes. Projetamo-nos acima dos outros. Julgamo-nos melhores do que os outros. Mas, construindo um pedestal para o nosso orgulho, tropeçamos na própria vaidade, mergulhando nas profundezas das quedas mais vergonhosas.

> Temos usado também a máscara do orgulho. Temos tocado trombetas, proclamando as nossas próprias virtudes e feitos. Somos amantes dos aplausos...

A Bíblia diz que a soberba precede a ruína. O que se exalta será humilhado. Quem quiser ser o primeiro será o último. Hoje vemos muitos pregadores que se apresentam como astros, como estrelas, como heróis. Fazem da igreja um teatro, do púlpito um palco e da mensagem uma peça teatral. São pregadores que buscam os holofotes, que gostam dos aplausos e que são amantes do dinheiro, mais do que da glória de Deus. Há aqueles que apreciam cantar diante do espelho o hino: "Quão grande és tu". São pregadores que só pregam para grandes auditórios, que andam sempre acompanhados de seguranças e só se hospedam em hotéis cinco estrelas, exigindo pelas suas colossais apresentações polpudos cachês. A máscara do orgulho pode oferecer por um tempo uma sensação de poder, e quando cai, não apenas se quebra, mas também reduz a pó àquele que a usou.

O orgulho é um pecado abominável para Deus. O querubim da guarda, o sinete da perfeição, foi expulso do céu por causa do orgulho. Deus resiste ao soberbo. Deus não reparte sua glória com ninguém. Não há cristianismo verdadeiro onde predomina a vaidade. Nunca somos tão fracos como quando confiamos em nós mesmos. Nunca somos tão desprezíveis como quando desprezamos o próximo e julgamo-nos melhores do que os outros. Nunca estamos tão longe de Deus como quando nos escondemos atrás da máscara do orgulho.

> A máscara do orgulho pode oferecer por um tempo uma sensação de poder, e quando cai, não apenas se quebra, mas também reduz a pó àquele que a usou.

Muitos há que mostram uma soberba exclusivista, julgando que apenas eles possuem a verdade. Condenam todos que não esposam suas ideias. Julgam-se mais santos, mais sábios, mais fortes que os outros. Encastelam-se numa torre de marfim e olham a todos de cima para baixo. Desprezam os humildes, humilham os fracos, pisam os indefesos e constroem monumentos aos seus próprios nomes. Diótrefes era um crente assim (3João 9-11). Ele se considerava o dono da igreja. Cada pessoa nova que chegava na igreja era vista como uma ameaça à sua liderança. Seu orgulho era tão doentio que não conseguia ter prazer em ver pessoas novas integrando-se na igreja: enxergava as como rivais. Ele não abria mão de ocupar a primazia. Tudo estava na mão dele. Julgava-se o centro de todas as coisas. Dessa mesma forma alguns agem ainda hoje e pretendem governar a igreja de Deus com rigor, com despotismo e com insensibilidade, ainda que escondidos atrás de pesadas máscaras de uma falsa espiritualidade e de um santo zelo pelas tradições da igreja.

Capítulo 3

A Máscara da Hipocrisia

O que é hipocrisia? É um disfarce, uma mentira, um engano. Quem é o hipócrita? O hipócrita é um ator que representa um papel diferente daquilo que é na vida real. Ele faz o papel de outra pessoa. Ele apresenta-se como uma pessoa totalmente distinta da sua verdadeira personalidade. O hipócrita é o homem que faz com que sua luz brilhe de tal forma diante dos outros que eles não possam saber o que está acontecendo por detrás dela. O hipócrita vive de aparências. Ele se protege atrás de máscaras. Vive uma mentira, uma farsa. Ele faz da vida uma peça de teatro e olha os demais como uma plateia que precisa entreter, e sob os efeitos das luzes artificiais, representa um papel comovente destinado a arrancar os aplausos de seus admiradores.

Jesus foi mais duro em suas palavras com os hipócritas do que com os ladrões e prostitutas. Estes tinham consciência de que eram desprezíveis. Aqueles também o eram, mas procuravam impressionar com qualidades que não possuíam. Uma prostituta maquiada é menos perigosa do que um hipócrita disfarçado.

Somos quem somos, não o que aparentamos ser. Mas, na realidade, nos admiram e amam pelo que aparentamos. Não é nossa personalidade que é amada, mas a máscara que a

> Não é nossa personalidade que é amada, mas a máscara que a encobre.

encobre. O personagem que representamos no palco da vida, com os cosméticos da vaidade e sob as luzes da autoglorificação, é diferente do "eu" que existe no recesso da nossa intimidade, sem as máscaras da hipocrisia. Nossa verdadeira identidade surge quando estamos sozinhos, longe de casa, da cidade, dos amigos, da igreja, da vigilância. Essa personalidade real não é conhecida no palco, mas no recesso da solidão. É conhecida somente quando tiramos as indumentárias de teatro e ficamos totalmente nus, sem os cosméticos de uma falsa aparência. Nada há pior do que sermos por fora aquilo que não somos por dentro. Michael Green tinha carradas de razão quando disse que piedade exterior e corrupção interior formam uma mistura revoltante. Na verdade, a hipocrisia é a mentira mais ruidosa.

> Nossa verdadeira identidade surge quando estamos sozinhos, longe de casa, da cidade, dos amigos, da igreja, da vigilância.

Essa máscara da hipocrisia pode ser vista na vida de um grande homem: o rei Davi. Ele vivera uma vida bonita. Fora um pastor de ovelhas, um homem de coração íntegro, de conduta irrepreensível, de vida ilibada, de alma piedosa. Amava a Deus. Era um adorador. Tinha sede de Deus. Deus era o deleite da sua alma, o prazer do seu coração, a razão do seu louvor, a esperança da sua vida. Davi era um poeta consagrado, um musicista talentoso, um compositor inspirado que misturava o seu trabalho com a liturgia cultual da sua vida. Era um homem bonito por fora e por dentro. Era o homem segundo o coração de Deus. O Senhor mesmo o chamou dos prados de Belém para ser rei sobre Israel. Deus o burilou e fez dele um grande líder. Deu-lhe riqueza, poder, fama e muitas vitórias.

Davi liderou exércitos, conquistou cidades, edificou um império e manteve-se puro e íntegro. Mas, um dia Davi deixou de vigiar e caiu. Tudo o que ele havia construído, veio abaixo numa noite de paixão e luxúria. Sua queda foi repentina, mas com avisos claros. Ele caiu, mas não sem sinais vermelhos apontando-lhe os perigos. Antes de cair nos braços da amante, Davi caiu nos braços da ociosidade. Antes de deitar-se com a mulher do próximo, ele abafou a voz da consciência. Antes de mandar matar o marido da sua amante, ele matou a sensibilidade da sua alma.

Davi não só adulterou, mas tentou esconder o seu pecado. Ele não queria perder a pose de rei, não queria que as pessoas soubessem de seu abominável adultério e do seu hediondo crime de mandar matar o marido de Bate-Seba. Por isso, botou uma grossa máscara e continuou levando a vida como se tudo estivesse normal. O tempo passava e Davi ainda guardava no abismo do coração o seu pecado secreto. Por dentro estava arrasado, mas por fora mantinha as aparências. Sua máscara estava bem ajustada. Chegou até mesmo ao desplante de dar uma demonstração de generosidade pública, casando-se com a viúva desamparada. Estava mesmo determinado a fingir, ainda que seus ossos estivessem secando e seus gemidos lhe consumissem o vigor durante as vigílias da noite. Davi estava se acostumando com a máscara da hipocrisia e assim viveu até o dia em que o profeta Natã foi lhe visitar.

Natã antes de confrontar Davi, desperta a sua consciência anestesiada. Contou-lhe uma história cheia de profundas emoções. Falou-lhe de um fazendeiro rico e sem piedade que ao receber um ilustre visitante, em vez de matar uma das suas muitas ovelhas para banquetear-se com o amigo, vai à casa do vizinho pobre e mata a sua única ovelhinha, que ele criara com tanto amor, que crescera junto com os seus filhos. Davi irou-se ao ouvir tão clamorosa injustiça. Ele não podia tolerar que no seu reino alguém agisse de forma tão cruel e logo sentenciou: "Este homem deve morrer". Natã não se fez esperar, e disse: "Davi, tu és este homem".

A máscara da hipocrisia levou Davi a enxergar a gravidade do pecado de outrem, mas não os seus. Ele condenou aquilo que ele mesmo estava praticando. Essa é a vida do hipócrita: enxergar o cisco no olho do próximo e não ver o argueiro no seu. O hipócrita é implacável com os outros e condescendente consigo. Ataca o pecado como um escorpião no deserto, mas esconde o seu pecado. Tem capacidade de vasculhar a vida alheia, mas não de fazer um auto-exame. O grande rei Davi tornou-se hipócrita. Passou a viver uma mentira, a representar um papel, a ser um ator, a usar uma máscara para esconder a sua verdadeira identidade. A sinceridade do povo que acreditava em sua integridade, reprovava a sua hipocrisia. Seu coração corrupto o enganou até que, confrontado, libertou-se das algemas do pecado.

> O hipócrita é implacável com os outros e condescendente consigo.

Há muitas pessoas vivendo em pecado e ao mesmo tempo fazendo a obra de Deus como se tudo estivesse normal. Para isso, botam uma máscara e fingem ser o que não são e representam um papel que não vivem. A Bíblia alerta para o fato da corruptibilidade do nosso coração (Jeremias 17:9). Temos um coração cheio de enganos. Ele é uma terra longínqua e difícil de ser descoberta. Um homem estava muito deprimido, triste e abatido. A vida parecia estar murchando dentro dele. No auge do seu desespero resolveu procurar ajuda. Em consulta a um médico, disse: "Por favor, me ajude. Eu não suporto mais a tristeza, o vazio e a dor que oprimem o meu peito. Minha vida é um deserto solitário, um vale árido, um espinheiro, um chão batido pelo tropel da multidão. Estou deprimido, destruído. Tudo em mim é um gemido sem trégua, um soluço sem pausa, uma dor sem cura. Minhas noites são longas, minhas manhãs são cinzentas. Meu dia uma rotina pesada. Na verdade, estou morrendo por dentro. A vida tornou-se, para mim, um inferno ambulante".

Ao ouvir tão dramática história de tristeza e angústia, o médico deu um conselho ao seu paciente para atenuar sua dor, aplacar o seu sofrimento e arrancá-lo da sepultura existencial em que se encontrava. Disse-lhe: "Você não precisa de remédio, mas de alegria, de descontração, de sorrir um pouco. Sua vida está muito tensa e sem brilho. Recomendo-lhe ir ao circo que chegou em nossa cidade. Lá existe um palhaço extraordinário, muito talentoso, faz todo mundo rir. É uma pessoa fenomenal, um artista de dotes superlativos. Se você for assistir o seu espetáculo, certamente vai se sentir melhor. Sua tristeza vai bater em retirada, sua depressão vai acabar e você vai voltar a sorrir.

Doutor, respondeu o paciente: "eu sou o palhaço do circo. Faço os outros rirem, mas minha vida é um inferno. Eu apenas represento um papel, sou apenas um ator. O papel que represento no palco não retrata minha vida real".

Não adianta aparentar ser uma pessoa alegre, divertida, extrovertida no meio do grupo, se no íntimo do coração há um vazio, uma tristeza crônica consumindo sua alma. Não adianta botar uma máscara e exercer o papel de alguém comunicativo, que alegra o ambiente, mas no silêncio do seu quarto, quando a máscara é removida, resta apenas um vazio no peito.

Preguei em um congresso de médicos e enfermeiros. Centenas de profissionais de saúde de todas as partes do Brasil estavam reunidos. Fomos acolhidos por uma enfermeira sorridente, alegre e extrovertida. Durante o congresso, aquela enfermeira me procurou e disse: "Você está vendo este sorriso aberto que tenho em meu rosto?" Respondi-lhe: "É claro

> Não adianta aparentar ser uma pessoa alegre, divertida, extrovertida no meio do grupo, se no íntimo do coração há um vazio, uma tristeza crônica consumindo sua alma.

que sim". Então, ela, com um olhar cheio de tristeza, concluiu: "Este sorriso é uma máscara. Essa alegria é uma mentira. Por trás desta espessa máscara, eu carrego uma alma enferma, uma vida arrasada".

Quem é você? Qual é a sua verdadeira identidade? A que aparenta ou a que desponta quando remove as máscaras? De tão acostumadas com as máscaras, há quem as mantenha até mesmo dentro de casa. São moralistas, cobram do cônjuge e dos filhos o que não vivem. Exigem o que não praticam. Reprovam no próximo o que aprovam para si mesmos. Condenam abertamente o que praticam em secreto.

A máscara da hipocrisia esconde os subterfúgios da mentira. Li algures sobre a história de um príncipe chinês que se preparava para o casamento. Não só estava determinado a casar-se, estava também resolvido a casar-se com uma jovem em quem pudesse confiar. Não queria correr riscos de unir-se com uma pessoa interessada apenas na sua riqueza e fama. Por isso, promoveu um banquete e convidou as moças mais bonitas, ricas e nobres do império. Dentre elas escolheria aquela que seria a sua eleita. Sucedeu que entre as muitas jovens convidadas, infiltrou-se uma que, embora graciosa era filha de uma servente do palácio, e, portanto, pobre, mas que amava o príncipe desde sua adolescência. Sua mãe tentou demovê-la, mas ela, com tenacidade, demonstrou sua resolução de estar entre as nobres candidatas. Sua motivação não era a glória da posição, mas o seu desvelado amor pelo príncipe.

No dia do requintado banquete lá estava a plebeia no meio das mais belas e ricas jovens da China. Depois do banquete, o príncipe surpreende a todas não fazendo de imediato a sua escolha. Ao contrário, o príncipe deu a cada candidata uma semente e um desafio, dizendo-lhes: "Voltem aos seus lares. Plantem esta semente. Reguem-na e dentro de seis meses, a jovem que me trouxer a flor mais bonita como produto dessa semente será a minha escolhida'.

Todas as jovens voltaram ansiosas para cultivar a preciosa semente. O mesmo fez a jovem plebeia. Com todo o carinho depositou a semente num vaso com terra e adubo. Mas ao final de uma semana, a semente não dava nenhum sinal de vida. Todos os dias, a jovem sonhadora regava a semente, mas nada, nenhum sinal. Os dias escoavam-se, deixando um sinal de desesperança nos seus olhos. Os seis meses se passaram e a semente nem sequer chegou a brotar. Ao chegar o dia de voltar ao palácio, sua mãe mais uma vez tentou desencorajá-la, mas ela com firmeza, disse: "Eu vou ao palácio. Pelo menos terei a oportunidade de estar mais um dia perto do príncipe".

O segundo banquete foi ainda mais cheio de pompa. Lá estavam todas as jovens, trajando vestes engalanadas e cada uma portando um vaso, com flores lindas, mimosas e multicoloridas. Entre elas estava a pobre moça com o seu vaso sem flores, apenas cheio de terra. O príncipe começou elogiando a elegância e a beleza das candidatas e apreciando as flores, sentindo a fragrância de cada uma delas. No fim da fila, restava a jovem com o coração cheio de emoção, com o olhar cheio de brilho, mas com o vaso vazio de flores. Para a surpresa e espanto de todas as jovens, o príncipe anunciou que a escolhida era a jovem plebeia com o seu vaso sem flores. E explicou: "A todas vocês eu dei uma semente estéril. Todas vocês tentaram me enganar, trazendo flores bonitas e perfumosas. Apenas esta jovem foi honesta e verdadeira comigo. Somente ela é digna da minha confiança. O que eu procurava, só encontrei nessa jovem: a flor da verdade".

Capítulo 4

A Máscara da Duplicidade

Há máscaras de todos os tipos e tamanhos. Há máscaras para todos os gostos e ocasiões. Há tanta variedade de máscaras quanto variam as personalidades. Muitos não conseguem sair de casa sem a máscara da duplicidade.

Os que usam essa máscara têm dois pesos e duas medidas. Aos outros eu trato com o rigor da lei, o chicote; a mim com a doçura da graça, as carícias. Para os outros as responsabilidades, o ônus; para mim os direitos, o bônus. Para os outros a luta, o trabalho; para mim a recompensa, os elogios. Para os outros os bastidores, as críticas os prejuízos; para mim os holofotes, os elogios, os lauréis.

As pessoas que usam essa máscara têm uma autoimagem doente. São pessoas deformadas. Por isso, tentam esconder a feiura do próprio rosto, jogando lama no rosto dos outros. São pessoas que imitam o urubu, alegram-se com a desgraça dos outros. Celebram não apenas suas conquistas, mas sentem também um prazer mórbido pelo fracasso dos outros. Alimentam-se da morte dos outros.

A máscara da duplicidade leva o seu usuário a ter não só uma visão distorcida, mas também uma visão dupla. Eles têm preconceito: eu tenho convicções fortes. São presunçosos: eu tenho respeito próprio. Gananciosos e avarentos: luto para prosperar e crescer na vida. São estourados e desequilibrados emocionalmente: possuo ira santa. Eles são mundanos: eu sou humano.

Duplicidade também é ter duas caras, duas personalidades, ser uma coisa aqui e outra ali. Certa feita, o apóstolo Paulo precisou confrontar Pedro, porque este estava adotando uma atitude assim, tendo uma postura dupla (Gálatas 2:11-12). Os irmãos de José do Egito viveram essa duplicidade por vinte anos. Por serem medíocres, alimentaram inveja de José. Em vez de imitarem a José, resolveram matá-lo. Sem arrancar suas máscaras de inveja, jogaram o molde na fossa. Não procuraram entender e se submeter ao plano de Deus na vida de José, mas, tentaram livrar-se dele, vendendo-o como escravo. Para encobrir uma mentira, tiveram que inventar outras. Mentiram para Jacó, sugerindo a ele que José tinha sido devorado por uma fera. Não apenas jogaram José numa cova profunda, mas também lançaram o pai num poço profundo de desespero e luto. Não apenas quiseram matar José, mas também quase mataram Jacó de tristeza. As lágrimas de Jacó denunciavam todos os dias os pecados de seus filhos. Eles não apenas mentiram, mas mantiveram essa mentira por duas décadas. Os dias se passaram e aquela mentira permaneceu viva no coração deles. Cada gemido e soluço de Jacó denunciavam o crime de terem vendido o irmão e mentido para o pai. Para driblar a própria consciência culpada, eles colocaram uma pesada máscara de duplicidade. Endureceram-se. Abafaram a voz da consciência. A cada noite que se reuniam ao redor da mesa e viam a cadeira de José vazia, e as lágrimas rolando pelo rosto enrugado de Jacó, eles eram confrontados a tirar a máscara. Mas a máscara estava muito bem ajustada. Eles não a tiravam nem mesmo para dormir. A máscara engessou-se neles. Estavam empedernidos. Os anos se passaram, porém, eles não conseguiram realmente livrar-se de José. Tiraram-no do caminho, mas não da consciência.

A fome os levou ao Egito. Jamais imaginaram encontrar José na terra das pirâmides milenares. Jamais pensaram ver o irmão às margens do grande Nilo. Mas, o improvável aconteceu. Eles não contaram com a providência divina. Eles maquinaram um plano para afastar José para sempre da vida deles, mas esqueceram-se de que Deus estava no controle de todas as coisas. Eles rejeitaram José, mas Deus era com José. Deus abençoou José. Deus arrancou José dos porões da prisão e o levou ao palácio. Agora José não é mais um escravo nem um prisioneiro, mas o governador do Egito. E os irmãos de José, assolados pela fome, vão parar exatamente no palácio. O mal que intentaram contra José, Deus o transformou em bênção (Gênesis 50:20). Os homens podem cometer suas atrocidades na história, mas não podem remover Deus do trono da história. Eles podem atentar contra os filhos de Deus, mas não podem frustrar os desígnios de Deus de fazer com que todas as coisas cooperem para o bem daqueles que amam a Deus (Romanos 8:28).

No Egito José reconheceu os seus irmãos. Resolveu despertar-lhes a consciência cauterizada. Eles, apertados e encurralados por José, disseram: "Nós somos homens honestos" (Gênesis 42:11). Honestos coisa nenhuma! De honestidade eles não tinham nada. O discurso era um, a prática outra. As palavras eram bonitas, mas a vida deles reprovava suas palavras. A integridade deles não suportava uma investigação meticulosa. Ao serem confrontados com a verdade, ao serem colocados sob o prumo de Deus, as máscaras caíram. A mentira veio à tona, e eles se tornaram indesculpáveis. Vinte anos de aparência. Vinte anos de vida dupla. Vinte anos tentando consolar o pai Jacó com palavras falsas. Vinte anos convivendo com uma consciência culpada e ainda têm coragem de dizer que são homens honestos. A máscara estava tão engessada que eles não a viam mais. Eles estavam convencidos de que eram honestos, mas eram corruptos e mentirosos. Julgaram-se melhores do que na verdade eram.

A Bíblia fala de Naamã, um grande general da Síria que era amado pelo povo. Naamã era um grande líder. Era temido e admirado pelo seu povo. Naamã era um conquistador, um homem famoso, vitorioso, valente, herói de muitas batalhas. Sua fama percorria todo o país. Seu nome era celebrado nas praças pelos seus grandes gestos de heroísmo. Mas Naamá era leproso. Fora dos portões, com sua armadura de guerra, era um sucesso. Mas quando chegava em casa e tirava a sua indumentária, era um indivíduo lamentável. Lá fora famoso, em casa leproso. Lá fora aplaudido pelas multidões, em casa não podia sequer abraçar a esposa nem pegar os filhos no colo.

Naamá tinha duas vidas: uma no exterior e outra no recesso do lar. Lá fora aclamado, em casa evitado. Quando tirava a máscara, revelava a sua lepra repugnante. Há pessoas assim: um sucesso fora de casa, mas um leproso dentro da família. Uma bênção na igreja, mas um transtorno para o lar.

> Há pessoas assim: um sucesso fora de casa, mas um leproso dentro da família.

Na igreja exibem piedade angelical, em casa uma impiedade demoníaca. Com os de fora têm respeito, com os de casa desprezo. Lá fora têm renome, em casa são um excluído. Vivem, mesmo sem culpa, duas realidades, vivem com a máscara da duplicidade.

Certa mulher, com o seu coração apertado de dor e decepção com o marido, disse-me: "Meu marido passa uma hora de joelhos na igreja, mas quando chega em casa dá patadas em todo o mundo como um cavalo selvagem". Na igreja, um intercessor, em casa um acusador. Na igreja, uma bênção, em casa uma maldição. Na igreja um cordeiro, em casa uma fera indomável.

Antes de Eliseu curar Naamá de sua lepra, demonstrou a necessidade de Naamá tirar a máscara da duplicidade. Naamá queria ser curado com as roupas e honrarias de um homem famoso. Ele queria ostentar no peito os distintivos de suas vitórias. Queria que o profeta saísse ao seu encontro e lhe prestasse as honrarias que julgava merecer. Naamá estava acostumado com os holofotes. Estava acostumado a ser o centro das atenções e pensava que o mundo girava ao seu redor. Naamá queria determinar a liturgia do culto da sua cura. A final de contas, julgava-se um homem especial. Ele se julgava muito importante. Achava que até Deus devia estar muito impressionado com ele. Mas Eliseu não sai ao seu encontro. Manda-lhe apenas um recado. Eliseu havia intuído que Naamá tinha mais que uma lepra devastando a sua pele, ele tinha também um tremendo orgulho em seu coração. Por isso o teor do recado de Eliseu: "Vai, lava-te sete vezes no Jordão, e a tua carne será restaurada, e ficarás limpo" (2Reis 5:10). Mas, Naamá com altivez, muito se indignou e se foi embora, dizendo: "Pensava eu que ele sairia a ter comigo, pôr-se-ia de pé, invocaria o nome do Senhor, seu Deus, moveria a mão sobre o lugar da lepra e restauraria o leproso" (2Reis 5:11). Naamá desprezou o método e o lugar determinado por Eliseu para a sua cura (2Reis 5:12). Mas, por que Eliseu ordenou a Naamá para lavar-se no Jordão sete vezes? Exatamente para quebrar a arrogância de Naamá. A lepra do orgulho era mais devastadora do que aquela que apodrecia a sua pele. Para mergulhar no Jordão Naamá precisava tirar a armadura em público e mostrar para todo mundo a sua lepra. Para ser curado é preciso primeiro tirar a máscara.

> Para ser curado é preciso primeiro tirar a máscara.

Capítulo 5

A Máscara da Falsa Modéstia

A falsa humildade é o pior tipo de orgulho. Existem os que escondem o orgulho atrás das máscaras da falsa modéstia. A vaidade tem muitas caras. Ela tem a capacidade de desfigurar-se para impressionar. Ela estrategicamente se rebaixa para ser destacada, vista e promovida pelos homens. Os fariseus, quando jejuavam, apareciam em público com o rosto desfigurado (Mateus 6:16). Eles queriam mostrar ao povo o quão espiritual eles eram. Cobriam-se com panos de saco e curvavam a cabeça como um junco para impressionar os outros (Isaías 58:5), mas por trás da atitude de fachada de humilhar-se estava o propósito de se promover.

O rei Saul conseguiu por um tempo esconder sua verdadeira identidade atrás da máscara da falsa modéstia. No dia da sua coroação como rei de Israel, ele estava escondido atrás da bagagem (1Samuel 10:22). A princípio parecia sentir-se incompetente, incapaz e inadequado para tão alta função. Sentia-se pequeno para a grandeza do momento. Revelava-se um homem extremamente humilde. Mas depois, o poder subiu à sua cabeça. Gostou do poder. A linha divisória entre grandeza e humildade já estava confusa em sua cabeça.

O que é humildade? É reconhecer a sua verdadeira condição e valorizar a posição dos outros. O humilde não se entristece quando alguém é promovido. O humilde não tenta se projetar acima dos demais. O humilde considera os outros superiores a si mesmo (Filipenses 2:3). O humilde não adoece ao ver o sucesso do outro. Pois bem, Saul tentou impressionar pelo seu gesto de modéstia e escondia no seu peito um coração egoísta e soberbo. Queria sempre estar no centro, gostava mesmo era dos holofotes. Considerava se a medida de todas as coisas. Tudo tinha que girar em torno dele. Saul pensava que era o centro do universo, não suportava a ideia de que alguém pudesse projetar-se mais do que ele. E Saul tinha inveja de Davi. A inveja é um pecado grave e uma doença demolidora do caráter. O que mais aflige o invejoso não é deixar de ter as coisas, mas admitir a prosperidade do vizinho. O invejoso é infeliz não pelo que não tem, mas pelo que o outro tem. A sua desgraça não é ver o seu fracasso, mas contemplar o triunfo de outrem.

> **O que é humildade?**
> É reconhecer a sua verdadeira condição e valorizar a posição dos outros.

Salomão disse: "O ânimo sereno é a vida do corpo, mas a inveja é a podridão dos ossos. Cruel é o furor, e impetuosa, a ira, mas quem pode resistir à inveja?" (Provérbios 14:30; 27:4). Li algures uma história interessante. Uma cobra começou a perseguir um vaga-lume que só vivia para brilhar. Ele fugia rápido com medo da feroz predadora e a cobra nem pensava em desistir. Fugiu um dia e ela não desistiu, dois dias e nada. No terceiro dia, já sem forças, o vaga-lume parou e disse à cobra: Posso fazer três perguntas? Respondeu ela: Não costumo abrir esse precedente para ninguém, mas já que vou lhe devorar, pode perguntar:

— Pertenço à sua cadeia alimentar?
— Não.
— Fiz-lhe alguma coisa?
— Não.
— Então, por que quer me devorar?
— Porque não suporto ver você brilhar!

Billy Graham disse que "a inveja não é arma defensiva, é instrumento ofensivo, usado na tocaia espiritual. Fere pelo prazer de ferir e mata pelo prazer de matar". Contudo, a inveja não atenta apenas contra a vida do outro, mas, antes de tudo, contra a própria vida, pois ela é como o câncer que vai destruindo aos poucos. A inveja destrói amizades, separa famílias, leva casais ao divórcio. A inveja mata!

> "A inveja não é arma defensiva, é instrumento ofensivo, usado na tocaia espiritual. Fere pelo prazer de ferir e mata pelo prazer de matar".

Saul conseguiu esconder-se atrás da máscara da falsa modéstia até o dia em que uma música disparou nas paradas de sucesso em Israel: "Saul feriu os seus milhares, porém Davi, os seus dez milhares" (1Samuel 18:7). Diz a Bíblia que aquela música fez um mal tremendo para o coração de Saul. Ele foi picado pela serpente da inveja e intoxicado pelo veneno de seu orgulho. Assim, registra o texto bíblico: "Então, Saul se indignou muito, pois estas palavras lhe desagradaram em extremo; e disse: Dez milhares deram elas a Davi, e a mim somente milhares; na verdade, que lhe falta, senão o reino?" (1Samuel 18:8). Saul foi dominado por um ciúme doentio. Ele enlouqueceu de ciúme. Ele arruinou o seu reino com as próprias mãos e depois quis matar o homem que Deus escolhera para tomar o seu lugar. As canções populares de Israel ao mesmo que colocaram Davi no topo do sucesso, causaram em Saul o mais desalentador desespero. O rei, dominado por uma inveja doentia, tornou-se um louco desvairado. O ódio por Davi, seu genro e sucessor, não podia ser apaziguado. Sua ira incendiária não dava trégua. O coração do rei tornou-se um vulcão em atividade. Seu principal projeto de vida não era mais governar o povo, mas matar o sucessor. O ódio além de irracional, é também uma porta aberta à ação do maligno (Efésios 4:26-27).

Quando o coração de Saul tornou-se um poço de amargura e ódio, o Espírito do Senhor retirou-se dele. *Então, um espírito maligno da parte do Senhor apossou-se de Saul* (1Samuel 19:9). Ele não apenas ficou possesso, mas também sedento de sangue. Matar Davi tornou-se uma obsessão para ele (1Samuel 18:7-17; 19:9-17; 20:30). Saul perseguiu Davi pelas cidades, campos, desertos e cavernas. Nessas campanhas de doentia perseguição, Saul chegou a matar oitenta e cinco sacerdotes na cidade de Nobe, simplesmente porque eles abrigaram Davi uma noite. Como se isso não bastasse, Saul ainda mandou matar os homens, as mulheres, as crianças de peito e até mesmo os animais de Nobe (1Samuel 22:18-19). O ódio de Saul era um vulcão em chamas, uma tempestade devastadora. Sua inveja era uma doença maligna e contagiosa que não apenas o destruiu, mas também a muita gente ao seu redor. Saul tornou-se um consumado assassino, um louco desvairado, um endemoninhado perigoso.

A aparente modéstia de Saul não passava, pois, de um grotesco disfarce. Ele não tinha nada de humildade. Ele nunca se rendeu nem mesmo diante da autoridade de Deus. Ele atropelava qualquer pessoa que atravessasse o seu caminho, que fosse um obstáculo para a consumação de seus caprichos desvairados. Ele não respeitava nada nem ninguém. Ele não via nada à sua frente a não ser o seu ego doentio. Usurpou indevidamente, no começo do seu governo a função de sacerdote, oferecendo sacrifício para agradar o povo, mesmo sabendo que isso era contra a instrução de Deus (1Samuel 13:8-14). Ao ser repreendido por Samuel não se quebrantou, mas endureceu-se ainda mais. No meio do seu governo, conspirou contra as ordens do próprio Deus e ao ser confrontado pelo profeta Samuel, tenta justificar-se (1Samuel 15:1-3, 8-23). No fim do seu governo, insurge-se contra Deus, indo atrás de uma feiticeira para invocar os mortos (1Samuel 28:1-25). Saul achava que até mesmo Deus tinha que se curvar ao seu tresloucado egoísmo. Para ele, o céu, a terra e o inferno estavam ao seu serviço. Julgava-se o centro e o senhor do universo. Ele era um megalomaníaco completo que viveu durante muito tempo atrás da máscara da falsa modéstia.

Muitos também vivem o engano da falsa humildade. O ilustre pai da igreja, Jerônimo, já alertava para o perigo do orgulho da humildade. Normalmente, quem tenta vender uma imagem de modéstia e humildade, esconde atrás dessa máscara uma personalidade altiva, soberba e vaidosa. São como o albatroz. Essa ave não consegue fazer voos altaneiros nem longínquos. A razão dessa limitação é que o albatroz tem um papo muito grande. A pessoa que tem o papo grande, que gosta de chamar a atenção para si mesma, gosta de viver sempre sob os holofotes, proclama suas próprias virtudes e tenta impressionar os demais pela sua humildade não pode também fazer voos altaneiros.

> Normalmente, quem tenta vender uma imagem de modéstia e humildade, esconde atrás dessa máscara uma personalidade altiva, soberba e vaidosa.

A vida me ensinou e confirma: sempre que encontro alguém que proclama a sua própria humildade e enaltece suas próprias virtudes percebo que se trata de uma personalidade vazia, carnal e vaidosa. Visitando certa feita uma mulher que se julgava líder de uma igreja, fiquei impressionado em pouco mais de trinta minutos, ela desfiou a si própria mais de vinte elogios. Os seres humanos eram carnais, ela, porém, era espiritual. Soberbos, mundanos: a maioria; ela, humilde, piedosa. Nos demais, um vazio; ela, cheia do Espírito. Chegava até mesmo a impostar sua voz para falar de seus decantados dotes espirituais e de sua longa caminhada com o Senhor. Na verdade, aquela mulher não era humilde. Ela simplesmente estava usando uma máscara para esconder sua verdadeira identidade. O apóstolo Paulo, o grande bandeirante do Cristianismo, ao fazer uma retrospectiva da sua vida, disse que era o menor dos apóstolos, o menor dos santos e o maior dos pecadores. Ele disse: eu sou o que sou pela graça de Deus. Nem mais nem menos. Tem gente que é como o fariseu, não apenas joga confere em si mesmo, mas também joga pedra nos outros. Cuidado com a máscara da falsa modéstia. Não sejam os seus próprios lábios que o louvem.

Capítulo 6

A Máscara da Justiça Própria

A máscara da justiça própria é colocada no rosto para impressionar destacando o próprio modo elevado de vida.

Os usuários dessa máscara observam com muito critério os valores e os padrões exteriores, mas na mente e no coração esses padrões não existem. Eles vivem uma mentira, uma farsa. São bonitos por fora e podres por dentro. Há um abismo entre o que aparentam ser e o que de fato são. Em público são um referencial de santidade, mas no secreto revelam a feiura de um caráter torto e mundano.

John Mackay em seu livro "*O sentido da Vida*" conta a história de um personagem chamado Peer Gynt de Ibsen. Muito rico, mas sedento de encontrar um significado para a vida, saiu pelo mundo em busca de prazer e realização pessoal. Viajou pelos continentes, cruzou mares, percorreu cidades. Bebeu todas as taças dos prazeres. Abraçou todos os encantos que o dinheiro podia lhe proporcionar. Experimentou todas as emoções que o mundo podia lhe oferecer. Mas, ao fim voltou para a sua casa, já velho, cansado, frustrado, vazio e sedento do significado para viver. Ao chegar ao velho lar, foi para o seu quintal, e pôs-se a meditar sobre o sentido da vida. Viu um canteiro de cebola e começou a escavar o chão, arrancando das entranhas da terra o bulbo. Começou, pausadamente descascar a cebola. Para cada casca que tirava pensava numa atividade e experiência vivida. Ao final, tirou a última casca da cebola e percebeu que a cebola não tem cerne, só casca. Tomado de profunda tristeza, disse: "Assim foi minha vida, só casca". Aquele personagem viveu toda a sua vida com uma máscara, aparentando ser quem não era.

Há aqueles que professam ser o que não são. São ortodoxos de cabeça e hereges de conduta. São observadores dos preceitos externos da lei, mas ao mesmo tempo transgridem a lei, vivendo uma vida íntima impura e mundana. Cobram em público, o que praticam em secreto. Coam um mosquito e engolem um camelo. Proclamam uma justiça própria que não possuem.

> Há aqueles que professam ser o que não são. São ortodoxos de cabeça e hereges de conduta.

Os fariseus, estes, usavam a máscara da justiça própria. Eram bonitos por fora; zelosos da tradição; pareciam espirituais; faziam longas orações; frequentavam a sinagoga. Eram criteriosos na devolução dos dízimos. Praticavam o jejum duas vezes por semana. Aos olhos dos expectadores expressavam a mais excelente referência da santidade e da piedade do seu tempo. Mas, Jesus, ao examinar mais minuciosamente a vida dos fariseus percebe que a justiça própria deles não passava de uma grotesca máscara. Eles eram como um copo lavado apenas por fora, mas por dentro cheio de sujeira. Sepulcros enfeitados e floridos no dia de finados, mas por dentro cheios de podridão. Um cemitério no dia de finados assemelha-se a um jardim engrinaldado de flores, um cenário bonito, encantador, atraente. Mas se você abrir as sepulturas, o que encontra lá dentro? Corpos em decomposição, mau cheiro e imundícia. Os fariseus com toda a sua justiça própria, tecendo altos elogios a si mesmos e acusando leviana e causticamente os seus contemporâneos não passavam de sepulcros caiados.

O problema da justiça própria é que ela faz de si uma propaganda enganosa. Posicionada num pedestal colocado no centro do palco, busca os aplausos dos homens sem se importar com a aprovação de Deus. Estão interessados nos louréis terrenos e esquecem de glorificar a Deus. Sedentos pelos troféus da terra dispensam as coroas do céu. Embriagam-se com o sucesso material e o reconhecimento dos que vivem a seu redor e não anseiam serem considerados dignos diante de Deus.

A máscara da justiça própria é usada quando nossas fraquezas são expostas. Não admitimos fracassar. Não podemos perder a pose. Temos que encontrar uma boa justificativa. Aliás, temos necessidade de demonstrar que somos um sucesso e os nossos aparentes deslizes serem plenamente justificáveis pelas circunstâncias.

> A máscara da justiça própria é usada quando nossas fraquezas são expostas. Não admitimos fracassar.

Justificamos permanentemente: "Eu posso ter essa fraqueza, mas pelo menos não faço isto ou aquilo". Não toleramos ser mal compreendido. Estamos sempre nos explicando. Queremos que nos julguem perfeitos. Na verdade, acreditamo-nos melhores do que os outros.

Tenho aprendido que quem está sempre se elogiando a si mesmo, além de trajar a hedionda máscara da justiça própria, possui uma autoimagem achatada sendo insegura e carente de autoafirmação. Os que trajam a máscara da justiça própria são portadores de um profundo sentimento de inferioridade. Uma personalidade madura não precisa se enaltecer. Os virtuosos não tocam trombeta para proclamar as suas próprias virtudes. Embora dignas de elogios, não acariciam o seu ego. Lata vazia é que faz barulho. Só o restolho chocho e vazio é que fica empinado, cheio de soberba. Quando o vento bate na plantação, o trigo se dobra; mas, quando bate no joio, ele permanece inflexível. A grandeza não está em querer ser grande, mas em ser humilde.

Jesus alertou para o perigo de se dar uma esmola com a intenção errada. Ele falou do perigo de se ajudar alguém e tocar trombeta anunciando a referida benemerência. O que uma mão faz, a outra deve esquecer. Não devemos fazer nada para sermos vistos pelos homens. Não devemos ser como alguns políticos que ao praticarem uma boa ação proclamam-na espalhando *outdoors* pela cidade. Aqueles que assim procedem podem ser grandes diante dos homens, mas são desprezíveis diante de Deus.

> Não devemos ser como alguns políticos que ao praticarem uma boa ação proclamam-na espalhando *outdoors* pela cidade.

A Bíblia fala de um jovem que foi a Jesus e saiu triste. Ele era um jovem nobre e rico. Procedia de uma boa família. Conhecia a lei desde a sua mocidade. Tinha um alto conceito de si mesmo. Achava-se um cumpridor dos preceitos divinos. Estava anestesiado pelas suas próprias virtudes. Era um narcisista espiritual. Esse jovem foi à pessoa certa, a Jesus. Ele foi com a motivação certa, buscar a salvação. Assumiu a postura certa, ajoelhou-se aos pés de Jesus. Fez a pergunta certa, o que precisava fazer para herdar a salvação. Mas, mesmo assim, fracassou. Isso, porque toda a sua aparente piedade não passava de uma máscara. Na verdade, ele não era um cumpridor da lei. Ele havia quebrado os dois maiores mandamentos da lei: não amava nem a Deus nem ao próximo. O seu deus era o dinheiro, por isso não podia desvencilhar-se dele em favor dos pobres. Sua aparente piedade não passava de um grotesco disfarce atrás das grossas máscaras da justiça própria.

Caim foi um dos primeiros homens a usar a máscara da justiça própria. Ele aprendeu com os seus pais sobre a necessidade de adorar a Deus. Ele e Abel, seu irmão, receberam as mesmas instruções. Foram criados debaixo dos mesmos princípios e valores. Sugaram o mesmo leite materno e cresceram sob a mesma disciplina. Ouviram idênticas histórias e aprenderam as mesmas coisas sobre o culto que agrada a Deus. Mas, o coração de Caim não era reto diante de Deus. Ele não se sujeitou aos princípios de Deus. Ele não se colocou debaixo da autoridade da Palavra de Deus. Quis fazer as coisas de Deus do seu jeito. Mostrar sua própria justiça em vez de aceitar a justiça que vem de Deus.

Caim afivelou a máscara da justiça própria ao prestar um culto a Deus sem observar os fundamentos de Deus sobre o culto. Desde os primórdios da história humana, Deus ensinou o princípio de que não há remissão de pecados sem derramamento de sangue (Hebreus 9:22). Quando Adão e Eva pecaram no Éden, Deus os cobriu com peles de animais. "Fez o Senhor Deus vestimentas de peles para Adão e sua mulher e os vestiu" (Gênesis 3:21). Para cobrir a nudez de Adão e Eva um animal foi sacrificado e o sangue foi derramado. Toda pessoa que se chegava a Deus para adorar precisava aproximar-se por meio do sangue. Não que o sangue de ovelhas e bodes pudesse purificar o coração do homem, mas o sangue desses animais apontava para o sacrifício perfeito de Cristo na cruz (Romanos 3:24-26). Todos os sacrifícios e holocaustos apontavam para o Cordeiro de Deus que tira o pecado do mundo (João 1:29). Quando Caim trouxe a Deus um sacrifício incruento, ele estava desprezando o caminho de Deus, a Palavra de Deus, as normas do culto divino. Queria abrir até Deus um caminho pelos seus esforços, o caminho das obras, dos seus próprios feitos. O caminho de Caim (Judas 11) é o caminho do humanismo idolátrico, das obras de justiça divorciados da graça, da autopromoção.

Caim usou a máscara da justiça própria ao prestar um culto a Deus sem examinar o próprio coração. O apóstolo João afirma que Caim era do Maligno (1João 3:12). Ele queria cultuar a Deus sem pertencer a Deus. Ele queria enganar a Deus com a sua oferta, enquanto ele mesmo era do Maligno. Caim pensou que pudesse separar o culto da vida. Ele pensou que Deus estivesse buscando adoração e não adoradores. Jesus disse para a mulher samaritana que Deus busca não adoração, mas adoradores que o adorem em espírito e em verdade (João 4:23-24). Deus não se enaltece com a pompa do nosso culto nem com a performance que exibimos diante dos homens. Ele busca a verdade no íntimo. Se a nossa vida não for de Deus e não estiver certa com Deus, o nosso culto será abominável aos olhos do Senhor. Deus não se agrada de rituais divorciados da vida. Culto sem vida é urna abominação aos olhos de Deus (Isaías 1:13-14; Amós 5:21-23; Malaquias 1:10).

> Deus não se agrada de rituais divorciados da vida. Culto sem vida é urna abominação aos olhos de Deus.

Caim usou a máscara da justiça própria ao prestar um culto a Deus com o coração cheio de ódio e inveja do seu irmão Abel. O apóstolo João ainda nos diz que "Caim era do Maligno e assassinou a seu irmão; e por que o assassinou? Porque as suas obras eram más, e as de seu irmão, justas" (1João 3:12). De nada adianta trazermos ofertas a Deus se o coração é um poço de inveja e ódio. A relação com Deus não pode estar certa se a relação com o próximo está quebrada. Antes de trazer a oferta ao altar, precisamos nos reconciliar com os nossos irmãos (Mateus 5:23-24). Deus não aceita urna oferta se o coração de quem a faz não é reto diante dele e está repleto de mágoas. Antes de Deus aceitar a oferta, ele precisa aceitar a nossa vida. Não podemos separar o culto da vida. As músicas que entoamos serão apenas barulho aos ouvidos de Deus se não tivermos uma vida em sintonia com a vontade de Deus (Amós 5:23). Deus vai rejeitar as ofertas que fizermos se não honrarmos a Deus com a nossa vida e com as nossas atitudes (Malaquias 1:10). As obras de Caim eram más, porque o seu coração era mau. Ele era do Maligno. Ele não conhecia a Deus nem cultuava a Deus, cultuava a si mesmo. Ele afrontava a Deus oferecendo uma oferta errada, da forma errada, com a motivação errada. Ele queria enganar a Deus e ganhar o *status* de adorador quando não passava de filho do Maligno.

Mas, o apóstolo João nos informa, ainda, que a raiz do problema de Caim era a inveja. Não tomando o seu irmão como modelo, ele se desgostou em ver Deus aceitando a oferta de Abel. Em vez de aprender com o seu irmão, ele o quis eliminar. A inveja de Caim levou-o a tapar os olhos e os ouvidos para o aprendizado. Ele endureceu-se no seu caminho de rebeldia. Não apenas sentiu inveja, mas consumou o seu pecado, levando o próprio irmão à morte. Ele não apenas odiou o seu irmão, mas o fez de forma sórdida. Odiou-o não pelo mal que este praticara, mas pelo bem; não pelos seus erros, mas pelas suas virtudes. A luz de Abel cegou Caim. As virtudes de Abel embruteceram Caim. A vida de Abel gestou a morte no coração de Caim. O culto de Caim longe de aproximá-lo de Deus, afastou-o ainda mais. O seu culto não passava de um arremedo, de uma máscara grotesca para esconder o íntimo invejoso, vaidoso e cheio de justiça própria.

Caim usou a máscara da justiça própria ao rejeitar a exortação de Deus. Caim não apenas estava errado, mas não queria se corrigir. Assim diz as Escrituras: "Aconteceu que no fim de uns tempos trouxe Caim do fruto da terra uma oferta ao Senhor. Abel, por sua vez, trouxe das primícias do seu rebanho e da gordura deste. Agradou-se o Senhor de Abel e de sua oferta; ao passo que de Caim e de sua oferta não se agradou. Irou-se, pois, sobremaneira Caim, e descaiu-lhe o semblante. Então, lhe disse o Senhor: Por que andas irado, e por que descaiu o teu semblante? Se procederes bem, não é certo que serás aceito? Se, todavia, procederes mal, eis que o pecado jaz à porta; o seu desejo será contra ti, mas a ti cumpre dominá-lo" (Gênesis 4:3-7). Caim não foi escorraçado por Deus ao trazer a oferta errada, com a vida errada e com a motivação errada. Deus o exortou. Deus lhe deu a oportunidade para mudar de vida. Caim teve a chance de se corrigir. Mas era muito orgulhoso para admitir os próprios erros. A máscara da justiça própria estava muito bem afivelada e engessada para ser arrancada. Ele preferiu o caminho da rebeldia e da desobediência. Longe de se arrepender, de tomar novo rumo, Caim deu mais um passo na direção do pecado. Não virou as costas para o pecado virou as costas para Deus.

Vemos no texto anterior alguns fatos dignos de nota: 1º Deus está mais interessado em quem nós somos do que naquilo que fazemos. Deus se agradou de Abel e da sua oferta ao passo que de Caim e da sua oferta não se agradou. A vida vem antes do serviço. A verdade vem antes da adoração. A motivação é mais importante do que a ação; 2º a mesma verdade que dirige um, endurece o outro. O mesmo sol que endurece o barro amolece a cera. Abel ouve a Palavra de Deus e cultua de acordo com o que ela ensina. Caim ouve a Palavra de Deus, mas a despreza e apresenta a Deus um culto estranho. A exortação de Deus em alguns produz endurecimento e não quebrantamento. Caim em vez de cair em si e arrepender-se, irou-se sobremaneira. Ele em vez de voltar-se para Deus, fugiu de Deus. Em vez de imitar o exemplo de Abel, matou o seu irmão; 3º a Palavra de Deus em alguns produz não a vida, mas a morte. Caim em vez de beber o leite da verdade para a restauração da sua vida, descaiu o seu semblante e entregou-se à ira invejosa e assassina.

> *A vida vem antes do serviço. A verdade vem antes da adoração. A motivação é mais importante do que a ação.*

Caim usou a máscara da justiça própria ao intentar contra a vida do irmão. Caim pensou que o problema era o seu irmão e não o seu pecado. Pensou que a única maneira de obter aceitação seria tirar o irmão do caminho. Ele olhou para Abel não como alguém a imitar, mas como um rival a ser suprimido. Muitas vezes consideramos que o problema advém de um terceiro. As virtudes do outro nos afligem mais do que as nossas próprias fraquezas. O sucesso dos demais nos atormenta mais do que o nosso fracasso. A eliminação do outro nos recompensa mais do que a possibilidade de sermos aceitos.

Caim usou a máscara da justiça própria ao manter as aparências de uma amizade genuína por Abel enquanto escondia um desejo perverso no coração. Assim diz o texto bíblico: "Disse Caim a Abel, seu irmão: Vamos ao campo. Estando eles no campo, sucedeu que se levantou Caim contra Abel, seu irmão, e o matou" (Gênesis 4:8). Caim era um vulcão efervescente de ódio por dentro, mas um mar plácido e calmo por fora. Ele tinha palavras aveludadas e um coração perverso. Palavras doces e um coração amargo. Amizade nos gestos e morte nos pensamentos. Ele enganou a Abel, traiu o seu irmão e o matou. Assassinou não um estranho, mas o seu irmão, carne da sua carne, sangue do seu sangue. Eliminou não um inimigo, mas alguém muito próximo. Matou não porque aquele era perverso e mau, mas porque era piedoso e bom. Matou não por constituir Abel uma ameaça à sua vida, mas porque era um exemplo digno de ser imitado.

Finalmente, Caim usou a máscara da justiça própria ao tentar esconder o seu pecado. Caim não levou a sério nem a Palavra de Deus nem o juízo de Deus. Pensou que seus atos estivessem fora do alcance de Deus. Ele não só pecou, mas tenta escapar das consequências do seu pecado. Ele não enxergava nada além da sua própria vaidade e justiça própria. Era o pai de uma geração que adorava o seu eu, em vez do Deus vivo. Deus não apenas exortou Caim para não pecar, mas o confrontou depois de pecar: "Disse o Senhor a Caim: Onde está Abel, teu irmão? Ele respondeu: Não sei; acaso sou eu tutor de meu irmão? E disse Deus: Que fizeste? A voz do sangue de teu irmão clama da terra a mim. És agora, pois, maldito por sobre a terra..." (Gênesis 4:9-11). Caim não apenas pecou, mas tentou esconder o seu pecado. Ele pensou que podia fugir de Deus e da sua justiça. Caim acabou colhendo o que buscava. Porque na sua insanidade espiritual preferiu fugir de Deus a obedecê-lo, o Senhor lavrou-lhe a sentença: "...serás fugitivo e errante pela terra" (Gênesis 4:12). Ao ser confrontado por Deus, longe de se arrepender, entregou-se à autocomiseração: "Então, disse Caim ao Senhor: É tamanho o meu castigo, que já não posso suportá-lo" (Gênesis 4:13). Caim é o protótipo daqueles que se retiram da presença do Senhor (Gênesis 4:16) e cuja descendência se afasta de Deus para mergulhar nas sombras espessas do pecado e da justiça própria.

Capítulo 7

A Máscara da Frieza ou da Falta de Perdão

Alguns escondem-se atrás da máscara da frieza. É uma máscara grossa, escamosa e impenetrável. Por baixo dela guardamos sentimentos feios e o fazemos a título de nos proteger da curiosidade alheia. Damos o nome a esta máscara de "reserva". Na verdade, muitas vezes, somos um sarcófago, um túmulo existencial. Não nos abrimos, não compartilhamos nada da nossa intimidade, dos pensamentos, dos desejos. Não confessamos os pecados. Não compartilhamos os sentimentos secretos. Não dividimos a carga com ninguém. Não destrancamos a câmara de horror do coração. Guardamos a sete chaves os porões da memória e escondemos com muito cuidado o entulho que acumulamos no coração. Nos isolamos e nos trancamos dentro de uma caverna existencial, temendo a rejeição caso venham a saber quem de fato somos. Formamos a ideia de que jamais seremos aceitos e amados se as pessoas nos conhecerem realmente. Mas, destaque-se: a ideia de que para sermos amados e aceitos precisamos ser perfeitos é uma mentira.

> A ideia de que para sermos amados e aceitos precisamos ser perfeitos é uma mentira.

A máscara da frieza nos leva ao isolamento. As pessoas tornam-se uma ameaça para nós. Sentimos medo da intimidade. Protegemo-nos e escondemo-nos atrás da máscara da privacidade. Ao mesmo tempo, deixamos de socorrer o próximo, de levar as cargas uns dos outros, de chorarmos juntos e nos alegrarmos uns com os outros. Essa máscara nos torna antissociais. Frequentamos lugares públicos, cruzamos os corredores ladeados pela multidão e atravessamos as passarelas iluminadas por muitos olhares, mas não nos damos a conhecer. Permanecemos incógnitos e misteriosos no meio da multidão. Não permitimos que ninguém se aproxime a ponto de ver o que está dentro do nosso coração. Temos medo de que nos vejam como de fato somos. Preferimos o conforto da superficialidade. Sentimo-nos mais seguros com a máscara da mentira e da frieza impenetrável. A máscara da frieza endurece o coração também para o perdão.

Perdoar não é tarefa fácil. É mais fácil falar sobre o perdão do que perdoar. C. S Lewis disse que é fácil falar sobre perdão até ter alguém para perdoar. Há muitas pessoas esmagadas sob o peso avassalador da mágoa. Carregam no peito rios caudalosos de ressentimento e são arrastados pelos dilúvios do ódio. São tão perturbadas pela amargura, que contaminam aqueles que vivem ao seu redor. São prisioneiras de seus sentimentos tempestuosos. Quem não se abre para o perdão, fecha-se para a própria vida. Quem não perdoa não tem paz. Quem não perdoa não pode orar, não pode ofertar, nem pode receber perdão. Thomas Watson disse que uma pessoa pode ir para o inferno por não perdoar, tanto quanto por não crer. Se não bastasse a perda da bem-aventurança eterna, quem não perdoa nem tem qualidade de vida do lado de cá da sepultura. Quem não perdoa é atormentado pelos flageladores. Quem não perdoa adoece e torna-se escravo dos seus próprios sentimentos.

Vivi esse drama no ano de 1982. Meu irmão Hermes foi assassinado aos 27 anos de forma cruel e impiedosa pelo primo de sua mulher. Foi o golpe mais doloroso que já sofri na vida. Foi uma dor que me deixou atordoado. Ao receber a notícia fiquei sem voz, sem ar, sem chão debaixo dos pés. Minha alma contorceu-se de dores. Minha carne tremia tomada pelo desespero. Meus olhos inundaram-se de lágrimas. Foi como um soco no meu estômago. Mas, no auge da minha dor, quando recobrei os sentidos, a primeira palavra que Deus colocou nos meus lábios foi: "Eu perdoo o assassino do meu irmão." Na verdade, eu não tinha outra opção: perdoava ou adoecia. Perdoava ou me enterraria vivo na cova da amargura. Perdoava ou colocaria uma máscara de frieza fingindo ser quem eu não era. Trabalho há mais de vinte anos no ministério de aconselhamento pastoral. Viajo pelo Brasil e pelo mundo conversando com pessoas aflitas, feridas e torturadas pela mágoa. Pessoas que nunca se libertaram das reminiscências amargas. Nunca sacudiram o jugo dos traumas e dos abusos sofridos na infância; e que se culpam e se flagelam por jamais abrir o coração para perdoar os seus ofensores nem se perdoaram a si mesmas.

O perdão não é uma questão de sentimento, mas de atitude. Não temos opção. Perdoar e viver ou não perdoar e morrer. A obediência precede ao desejo. A fé antecede à emoção. A Bíblia nos ensina a perdoar como Deus em Cristo nos perdoou. O perdão de Deus por nós é imenso, incondicional e constante (Colossenses 3:13).

Perdão não é fuga do problema. O silêncio não é a voz do perdão nem o tempo cura as feridas do passado. Perdão implica em confronto. É mais fácil fugir ou sepultar os problemas vivos. É mais fácil camuflar ou jogar os problemas debaixo do tapete. Escamotear a verdade não apenas adia o problema, mas também o agrava. Esconder-se atrás das grossas máscaras da frieza não é atitude sensata nem eficaz. O ensino de Jesus é meridianamente claro sobre essa matéria: "Se o seu irmão pecar repreende-o, e, se ele se arrepender, perdoa-lhe" (Lucas 17:3).

> O perdão não é uma questão de sentimento, mas de atitude. Não temos opção. Perdoar e viver ou não perdoar e morrer.

O perdão é ilimitado e incondicional. Jesus disse: "Se pecar contra você sete vezes no dia, e sete vezes voltar a você e disser: 'estou arrependido', perdoe-lhe" (Lucas 17:4). O apóstolo Pedro procurando entender a matemática de Cristo sobre o perdão assim se expressa: "Então Pedro aproximou-se de Jesus e perguntou: Senhor, quantas vezes deverei perdoar a meu irmão quando ele pecar contra mim? Até sete vezes? Jesus respondeu: eu lhe digo: não até sete, mas até setenta vezes sete" (Mateus 18:21-22). O perdão que devemos oferecer é ilimitado, porque o perdão que recebemos de Deus é sem limites. Em Mateus 18:23-35 Jesus contou a parábola do credor incompassivo. Esse foi o texto que mais me ajudou a entender o perdão. Um homem devia 10.000 talentos ao seu senhor. Era uma dívida impagável. *Um talento era uma medida de peso que variava entre 26 e 36 quilos. Era usada para pesar metais preciosos.** Assim dez mil talentos eram 260 mil ou 360 mil quilos de um metal precioso. Todos os impostos da nação de Israel durante um ano eram 800 talentos. Portanto, 10.000 talentos correspondiam aos impostos da nação durante doze anos e cinco meses. Para termos uma ideia, um trabalhador ganha um denário por dia. Para uma pessoa ganhar 10.000 talentos ela precisaria trabalhar cento e cinquenta mil dias.

Assim, aquele homem tinha uma dívida impagável. Esse é o perdão que recebemos de Deus, ilimitado. Mas, o mesmo homem que recebeu tão imenso perdão não teve misericórdia do seu conservo que lhe devia cem denários. Cem denários é o salário de três meses e dez dias de trabalho. Cem denários é seiscentas mil vezes menor do que dez mil talentos. Se não compreendermos a grandeza do perdão que recebemos jamais nos abriremos para perdoar os nossos ofensores.

O perdão está além da capacidade natural do homem. Nós perdoamos, não porque temos uma boa índole ou somos educados ou possuímos um coração brando; e, sim, porque o perdão

---

*Nota do editor: *Bíblia Anotada*, p. 1211, Editora Mundo Cristão.

é uma atitude supra-humana, é expressão da graça de Deus em nossa vida. Quando os discípulos ouviram Jesus falar sobre o perdão ilimitado, disseram-lhe: "Senhor, aumenta a nossa fé!" (Lucas 17:5). Só Deus pode nos capacitar a perdoar. Só Deus pode nos ensinar a perdoar. O perdão é obra de Deus em nós.

O perdão é resultado da nova vida que recebemos em Cristo. Porque somos o povo escolhido, santo e amado de Deus, devemos perdoar uns aos outros assim como Deus em Cristo nos perdoou (Colossenses 3:12-13). Em Cristo temos um novo nome, um novo coração, uma nova mente, uma nova vida. Precisamos nos despojar das desavenças, maledicências, iras, mágoas e ressentimentos que marcaram a nossa vida passada, como roupas sujas e impróprias (Colossenses 3:8-9). Agora, devemos nos revestir de outras virtudes como compaixão, bondade, humildade, mansidão, paciência, perdão e amor (Colossenses 3:12-14).

> O perdão é uma necessidade básica para uma vida física e emocional saudáveis.

O perdão é uma necessidade básica para uma vida física e emocional saudáveis. Quem não perdoa é flagelado pelos algozes da consciência (Mateus 18:34). Quem não perdoa adoece (Tiago 5:16). A mágoa congelada nos destrói por dentro. Ela é como soda cáustica que a tudo corrói. A mágoa não tratada e não curada é uma fábrica de doenças e a causa de terríveis depressões.

> A mágoa não tratada e não curada é uma fábrica de doenças e a causa de terríveis depressões.

O perdão é necessário também para uma vida espiritual saudável. O perdão é vital para uma correta comunhão com Deus. Não podemos amar a Deus e odiar nossos irmãos (1João 4:20). Aquele que odeia a seu irmão é assassino (1João 3:15). Quem odeia a seu irmão está cego e não sabe para aonde vai (1João 2:11). A falta de perdão é falta de amor e quem não ama a seu irmão está nas trevas (1João 2:11). Quem não ama a seu irmão permanece na morte (1João 3:14). Quem não ama a seu irmão não conhece a Deus

(1João 4:8) nem pode amar a Deus (1João 4:20). Mas, quem ama dá a sua própria vida pelos irmãos (1João 3:16), pois quem ama é nascido de Deus (1João 4:7). Assim, quem não perdoa não pode ter comunhão com Deus, visto que quem não perdoa não pode ofertar (Mateus 5:23-24), não pode orar (Marcos 11:25) nem pode ser perdoado (Marcos 11:26).

O perdão é libertador. Ele quebra as algemas e abre as portas da prisão existencial. O perdão nos arranca do cativeiro da amargura e nos tira do fosso lodacento da mágoa. Quando uma pessoa nutre mágoa no coração por alguém torna-se prisioneira dessa pessoa. Ela acaba convivendo intensamente com a pessoa a quem repudia. Vive no cabresto da pessoa de quem quer se desvencilhar. A falta de perdão é uma prisão, uma tortura, uma masmorra insalubre, sem luz e sem ar fresco. A falta de perdão é asfixia da alma, é o flagelo da mente, é a tortura do corpo, é a escravidão mais desumana. O existencialista Jean Paul Sartre disse que o inferno é o outro e que o inferno é como uma sala fechada, sem janelas e sem portas, sem luz e sem escape onde convivemos com aqueles a quem odiamos. A falta de perdão é uma espécie de prisão perpétua, um inferno na terra.

O perdão é terapêutico. Cura o coração e os relacionamentos quebrados. Trata dos nossos sentimentos e restaura as nossas amizades. O perdão é como bálsamo para as feridas; é como remédio para a doença da alma. Onde reina o perdão há saúde, há vida, há paz. Porém, onde morre o perdão nasce a guerra, o ódio, a vingança e a morte. A falta de perdão tem destruído muitas pessoas. Muitos são aqueles que se entregam ao desespero e até mesmo ao suicídio porque não encontraram dentro do lar ou entre os amigos alguém capaz de aceitar e perdoar. Há alguns anos li a dramática história de um adolescente filho de um militar austero que estudava em uma escola particular dirigida por militares. Esse menino recatado foi surpreendido pelo professor, em uma prova, sob a alegação de que ele estava tentando colar. O professor tomou-lhe a prova, lhe deu zero e ainda chamou os pais e expôs o caso para eles com pesado tom de reprovação ao garoto. Os pais ficaram revoltados com o filho. Ele tentou inutilmente explicar para os pais o que havia acontecido. Mas, eles, não lhe deram nenhuma chance. Disseram-lhe que estavam envergonhados da sua atitude e que ele não tinha sequer o direito de olhar em seus olhos. O menino aguentou calado por vários dias sem poder conversar com os pais. Alimentava-se de suas lágrimas e curtia a dor de ser incompreendido. Num momento em que seus pais saíram para fazer compras, o garoto pegou uma caneta e começou a escrever uma carta. Nessa carta, ele disse: "Papai e mamãe, me perdoem, mas eu não aguentei a dor de não poder olhar em seus olhos e conversar com vocês. Não suportei a humilhação de ser acusado de um erro que não cometi. Eu não consegui superar a tristeza de estar impedido de conversar com vocês ou até mesmo de pedir perdão por um pecado que não cometi. Mais uma vez, perdoem-me". Acabou de escrever a carta, pegou o revólver do pai, e estourou os miolos com um projétil. Quando os pais chegaram, encontraram o adolescente caído em uma poça de sangue, com o revólver numa mão e a carta na outra. Esse fato mexeu com minha alma e me ensinou a lição de que nós precisamos ouvir os nossos filhos. Precisamos dar oportunidade às pessoas de desabafarem conosco. Precisamos aprender a perdoar aqueles que falham conosco.

Pior do que a doença é tentar ocultar a doença. Quando diagnosticamos a doença e a tratamos no tempo certo, podemos encontrar a cura. Mas, se uma pessoa não admite sua enfermidade ou tenta ocultá-la, pode perecer sem chance de cura. Usar máscaras para disfarçar a mágoa é uma atitude perigosa. Curar superficialmente as feridas da alma é um expediente arriscado. A Palavra de Deus é categórica: "Quem esconde os seus pecados não prospera, mas quem os confessa e os abandona encontra misericórdia" (Provérbios 28:13).

> Curar superficialmente as feridas da alma é um expediente arriscado.

Capítulo 8

Como Remover as Máscaras

Estive algumas vezes na cidade de Londres, na Inglaterra. Um dos lugares que mais gostava de visitar era o Museu Madame Tussauds, o museu de cera. Ali tirei várias fotografias ao lado de personalidades de fama mundial. Deixei-me fotografar com a família real, com presidentes, artistas, cantores e grandes estrelas do esporte mundial. Quando mostrei essas fotos aos meus amigos, por um tempo, alguns chegaram a pensar que eu tivera acesso a essas referidas personalidades. Mas aquelas pessoas não eram reais. Os personagens das minhas fotografias são apenas bonecos de cera.

Muitas vezes, representamos um papel diferente do que somos na vida real. Iguais aos bonecos de cera, tornamo-nos acessíveis a todos que quiserem se aproximar de nós, mas na vida real somos muito sofisticados e não abertos à aproximação. A única maneira, portanto, de viver de forma autêntica é remover as máscaras. Esse é um processo doloroso e radical. Precisamos morrer para nós mesmos. Precisamos desistir de reunir os nossos melhores esforços para tentar agradar a Deus e aos homens ao mesmo tempo. Precisamos desistir de viver na antiga aliança. Precisamos entender que tudo provém de Deus. Dele vem a nossa suficiência. O poder para viver uma vida íntegra e transparente vem de Deus e não de nós.

Como, então, remover as máscaras?

As máscaras são removidas pela transformação operada por Jesus

O apóstolo Paulo diz: *"De fato, até o dia de hoje, quando Moisés é lido, um véu cobre os seus corações. Mas quando alguém se converte ao Senhor, o véu é retirado"* (2Coríntios 3:15-16). A conversão é uma obra exclusiva e soberana de Deus em nós. Deus primeiro regenera a criatura, implantando nela a divina semente, uma nova natureza, mudando as disposições íntimas da sua alma. Depois, essa pessoa tem seus olhos abertos para reconhecer os seus pecados e arrepender-se, depositando sua fé e confiança na Pessoa de Jesus Cristo como Salvador e Senhor.

> Deus primeiro regenera a criatura, implantando nela a divina semente, uma nova natureza, mudando as disposições íntimas da sua alma.

A conversão aponta para uma mudança profunda e radical na vida. Quando a conversão acontece saímos das trevas para a luz, da morte para a vida, da potestade de Satanás para Deus, do reino das trevas para o Reino de Cristo. Na conversão recebe-se um novo nome, uma nova mente, uma nova vida, novos hábitos, novos gostos, novas preferências, novas inclinações, novos anseios. Na conversão morremos para o mundo, para o pecado, para a carne e ressuscitamos para uma nova vida em Cristo. Identificamo-nos com Ele na sua crucificação, morte, sepultamento e ressurreição. Tornamo-nos um com Cristo. Nossa vida fica escondida com Cristo em Deus e assentamo-nos com Ele nas regiões celestes acima de todo o principado e potestade. Na conversão tornamo-nos filhos de Deus por adoção e por geração. Tornamo-nos coparticipantes da natureza divina, pois nascemos de cima, do alto, do Espírito. Na verdade, na conversão despojamo-nos das roupagens do velho e nos revestimos das virtudes de Cristo. Assim, as máscaras do engano, da mentira, da falsidade, da hipocrisia, da justiça própria e da dureza de coração que enchiam o guarda-roupa do velho homem não são mais compatíveis com a nova vida que recebemos em Cristo Jesus.

A conversão fala de uma nova vida, uma vida digna de Deus, digna do evangelho, vivida para o inteiro agrado de Deus, no poder do Espírito Santo. Viver em Cristo é viver na verdade, é viver na luz, é viver sem máscaras. Quando nos convertemos a Cristo, quando nos voltamos para ele, essas máscaras são arrancadas. Jesus durante o seu ministério sempre procurou tirar as máscaras das pessoas antes de curá-las. Jesus entrou na sinagoga num dia de sábado. Lá havia dois tipos de gente: os que foram para censurar e o que foi para esconder-se. Os fariseus estavam ali apenas para fiscalizar a Jesus, para vasculhar a sua vida e tentar encontrar uma falha para acusá-lo. Os fariseus iam à Casa de Deus não para adorar, mas procurar a falha dos outros. Eles não olhavam para si mesmos, mas investigavam os outros. Eles não viam os seus erros; eles como detetives da vida alheia bisbilhotavam a vida dos outros.

> Viver em Cristo é viver na verdade, é viver na luz, é viver sem máscaras.

Naquela sinagoga estava também um homem com a mão direita ressequida. Ele estava escondido no meio do povo. Antes de curá-lo Jesus remove-lhe o escudo protetor, arranca lhe a máscara por trás da qual ele vivia. A primeira coisa que Jesus fez foi dar uma ordem para ele sair da caverna e assumir quem era, dizendo-lhe: "Levante-se" (Lucas 6:8). Aquele homem estava escondido no meio do povo, com a mão mirrada, com o braço torto, com um complexo de inferioridade. Antes de curá-lo Jesus disse para ele levantar-se e assumir a sua condição. Precisamos reconhecer os nossos problemas antes de sermos ajudados. Enquanto ficarmos escondidos no meio da multidão, manteremos as máscaras e a doença também. Eliseu mandou o leproso Naamã mergulhar no rio Jordão sete vezes. E por que?

> Precisamos reconhecer os nossos problemas antes de sermos ajudados.

É porque Naamã, antes de ser curado precisa mostrar para todo mundo a sua lepra. Antes de mergulhar no Jordão, precisa remover sua indumentária e mostrar a hediondez da sua condição. Jesus veio para os doentes e não para os sãos. Só os que se reconhecem doentes podem ser curados. Somente os que se reconhecem pecadores podem ser salvos.

A segunda coisa que Jesus fez foi dar uma ordem àquele homem da mão ressequida para vencer os seus preconceitos, traumas e medos, dizendo-lhe: "Venha para o meio" (Lucas 6:8). Os bonecos de cera nunca mudam de humor, eles estão sempre com um belo semblante. Eles nunca se exasperam pelo fato da multidão se aproximar para uma nova foto. Mas eles também não têm vida. Não adianta tentar ser quem não somos. Não adianta esconder-se. Viver à margem do caminho ou escondido no meio da multidão não nos ajuda. Viver escondendo-se não é uma atitude segura. Precisamos ter coragem para vencer os nossos medos, as nossas fobias. Precisamos vencer o medo das críticas. Precisamos triunfar sobre o medo de sermos rejeitados e criticados. Precisamos assumir que temos a mão mirrada se queremos ver o milagre da cura acontecendo em nossa vida.

A terceira coisa que Jesus fez foi encorajar aquele homem a crer no impossível. Disse-lhe Jesus: "Estenda a mão. Ele a estendeu, e ela foi restaurada" (Lucas 6:10). As máscaras caem quando cremos que Jesus tem poder para curar as nossas deformidades. Ele tem poder para endireitar o que está torto em nossa vida. Ele tem autoridade para restaurar o que está mirrado em nosso caráter. Lucas diz que era a mão direita desse homem que estava mirrada (Lucas 6:6). A mão direita fala do trabalho, da força, da destreza, da ação. Esse homem estava impotente, complexado, escondido. Mas Jesus o fez levantar-se. Jesus lhe encorajou a enfrentar a realidade. Jesus lhe deu forças para vencer os preconceitos e experimentar o milagre da cura. As máscaras caem quando cremos, pois quando cremos o milagre da transformação acontece em nossa vida.

As máscaras são removidas pela transformação operada pelo Espírito Santo

O apóstolo Paulo aborda esse assunto com as seguintes palavras: "Ora, o Senhor é o Espírito e, onde está o Espírito do Senhor, ali há liberdade. E todos nós, que com a face descoberta contemplamos a glória do Senhor, segundo a sua imagem estamos sendo transformados com glória cada vez maior, a qual vem do Senhor, que é o Espírito" (2Coríntios 3:17-18). O texto nos enseja quatro perguntas:

O que é esse remover das máscaras? É a transformação contínua e progressiva na imagem de Cristo. Todos os dias precisamos remover as máscaras. Essas máscaras parecem crescer como erva daninha. Por isso elas precisam ser arrancadas todos os dias.

Quando ocorre essa remoção das máscaras? Paulo diz que essa remoção acontece agora. Somos transformados. Paulo não diz: "seremos transformados". Essa transformação acontece agora, no tempo presente. Hoje é o dia de você se ver livre dessas máscaras. Não apenas na conversão as máscaras caem, mas também no processo da santificação elas são removidas. A santificação é o contínuo processo de tirar máscaras.

Como se dá essa remoção das máscaras? Diz o apóstolo Paulo que é pela contemplação da glória do Senhor. O que é esta glória? É a vida, a morte e a ressurreição de Jesus. À medida que olhamos para Jesus, essas máscaras vão caindo.

Qual é o agente dessa remoção das máscaras? Paulo diz que é o Espírito Santo. É Ele quem nos transforma à imagem de Cristo. É o Espírito Santo quem esculpe em nós a beleza de Jesus. É Ele quem nos regenera, nos sela, nos habilita, nos ensina, nos consola, nos capacita de poder e dons para sermos semelhantes a Jesus. Onde está o Espírito do Senhor aí há liberdade para vivermos uma vida autêntica, uma vida sem máscaras.

Conclusão

Em 2Coríntios 3 o apóstolo Paulo fala da glória no rosto de Moisés e a glória no rosto de Cristo. A glória da face de Moisés era uma glória desvanecente e a glória na face de Cristo é uma glória permanente. Sabe por que a glória do rosto de Moisés era uma glória transitória? É porque a glória no rosto de Moisés simboliza a lei. E o que é a lei? A lei me dá uma ordem: faça isso ou faça aquilo. E eu tento fazer o melhor para Deus e fracasso. Isso, porque, eu não consigo fazer nada de bom por mim mesmo. O problema não é a lei. Ela é boa, justa, santa e espiritual (Romanos 7:12). Mas, nós somos carnais e inclinados ao pecado. A lei não foi capaz de nos conduzir ao triunfo porque estava enfraquecida pela carne (Romanos 8:3). A glória da lei vai desvanecendo porque ela revela o melhor que fazemos para Deus, e esse melhor não é suficiente.

E por que a glória do rosto de Jesus não é desvanecente? Por que quando eu olho para a glória de Jesus eu sou transformado progressivamente? É porque a glória da face de Jesus representa o evangelho. E o evangelho não significa o melhor do que eu faço para Deus, mas tudo o que Deus fez por mim em Jesus para me transformar, para me fazer uma pessoa semelhante a ele.

Quando olhamos para Jesus, pelo que ele fez por nós, através da sua vida, morte e ressurreição, somos, então, pela ação do Espírito Santo regenerados e transformados de glória em glória. Não precisamos mais nos esconder. Não precisamos mais ser tímidos como Moisés colocando um véu na face. Não precisamos mais usar máscaras. Deus providenciou todos os meios para vivermos vitoriosamente. Não precisamos mais viver como atores, fazendo da vida um teatro. O poder que opera em nós agora não é o poder da carne, mas o poder do Espírito Santo. Foi para a liberdade que Deus nos libertou. Vivamos como filhos da liberdade. Vivamos como filhos da luz. Vivamos sem máscaras!

Sua opinião é importante para nós.
Por gentileza, envie-nos seus comentários pelo e-mail:

editorial@hagnos.com.br